HUGH PRATHER

A arte da serenidade

SEXTANTE

Título original: *Shining through*

tradução
Sonia Schwarts

preparo de originais
Alice Dias
Débora Chaves

revisão
Ana Grillo
Tereza da Rocha

projeto gráfico e diagramação
Valéria Teixeira

capa
Miriam Lerner

pré-impressão
ô de casa

impressão e acabamento
Congregação do Santíssimo Redentor – Editora Santuário

CIP-BRASIL. CATALOGAÇÃO-NA-FONTE
SINDICATO NACIONAL DOS EDITORES DE LIVROS, RJ

P925a Prather, Hugh
A arte da serenidade / Hugh Prather [tradução de Sonia Schwarts]. – Rio de Janeiro: Sextante, 2008.

Tradução de: Shining through
ISBN 978-85-7542-445-2

1. Felicidade. 2. Conduta. I. Título.

CDD 170.44
08-4594 CDU 179.9

GMT Editores Ltda.
Rua Voluntários da Pátria, 45 – Gr. 1.404 – Botafogo
22270-000 – Rio de Janeiro – RJ
Tel.: (21) 2286-9944 – Fax: (21) 2286-9244
E-mail: atendimento@esextante.com.br
www.sextante.com.br

CONHEÇA OUTROS TÍTULOS DA COLEÇÃO *AUTO-ESTIMA*

365 mensagens de sabedoria e compaixão, O caminho da tranqüilidade e *Uma ética para o Novo Milênio,* de Sua Santidade, o Dalai-Lama

A arte da meditação, de Daniel Goleman, Ph.D.

A arte da prudência, de Baltasar Gracián

A arte de viver, de Sharon Lebell

A cura através da terapia de vidas passadas e *Os espelhos do tempo,* de Brian Weiss

A essencial arte de parar, de David Kundtz

Aprendendo a conviver com quem se ama, de Neale Donald Walsch

A sabedoria de Gandhi, seleção e introdução de Richard Attenborough

Conversando com os espíritos e *Em busca da espiritualidade,* de James van Praagh

Cultivando a saúde do corpo e da mente, Meditações para a manhã e para a noite, O poder das afirmações positivas e *Pense positivo todos os dias,* de Louise Hay

Descobrindo a alegria de viver, de Salle M. Redfield

Dez leis para ser feliz e *Você é insubstituível,* de Augusto Cury

Espiritualidade, de Leonardo Boff

Faça o seu coração vibrar, de Osho

Histórias para aquecer o coração, de Jack Canfield, Mark V. Hansen e Heather McNamara

Histórias para aquecer o coração das mães, de Jack Canfield, Mark V. Hansen, Jennifer Read Hawthorne e Marci Shimoff

Histórias para aquecer o coração dos adolescentes, de Jack Canfield, Mark V. Hansen e Kimberly Kirberger

Histórias para aquecer o coração dos pais, de Jack Canfield, Mark V. Hansen, Jeff Aubery e Mark & Chrissy Donnelly

Lições sobre amar e viver, de Morrie Schwartz

Não deixe para depois o que você pode fazer agora, de Rita Emmett

O outro lado da vida, de Sylvia Browne e Lindsay Harrison

Pequenos milagres, de Yitta Halberstam e Judith Leventhal

Praticando o Poder do Agora, de Eckhart Tolle

SUMÁRIO

Histórias e experiências

O mundo conta muitas histórias. Muitas vezes, elas começam com esperança e terminam com desespero. Sem dúvida, há mais dor e sofrimento no mundo do que achamos que podemos suportar. Mas existe uma outra história, que já começou e que não terá fim. Ela surge da beleza absoluta, ainda que freqüentemente não possa ser encontrada nos acontecimentos do mundo. Essa história poderia ser chamada de Balada Divina, uma antiga canção contida em todos os corações. Ela é capaz de trazer paz a qualquer mente; seu lirismo e sua delicadeza podem ser sentidos por qualquer pessoa. Ela é um presente de Deus, é a sua herança e a minha, e não pode jamais ser perdida ou abandonada.

Neste livro, procuro oferecer alguns meios de fazer nossas mentes aprenderem a ouvir a canção de nossos corações e experimentar uma fé crescente na verdade que há por trás de nossos medos e infortúnios. Obviamente, a tranqüilidade e a plenitude não podem se basear em algo que está sempre mudando. É fundamental encontrar caminhos que nos ajudem a vivenciar uma realidade mais confiável do que a desconcertante e breve jornada de nossos corpos. Nestas páginas, sugiro algumas maneiras de fazer isso, tentando explicá-las de forma simples e direta para provocar experiências que reacendam a chama da esperança – porque a esperança pode fazer com que olhos há muito fechados à beleza, por fim, se abram.

O medo e o conflito criam confusão mental em muitos de nós. Causam dispersão, desunião, mantêm nossas mentes vulneráveis e tornam nossas vidas difíceis e assustadoras. Há ocasiões em que não sabemos nem mesmo o que tememos, evitamos coisas que não temos certeza se existem. A serenidade afasta o medo e o conflito ao resgatar nossa disposição para ver além das aparências. Os pensamentos e exercícios deste livro incitarão você a se tornar sereno e sincero, de modo que possa enxergar com clareza as bases da felicidade.

Essas bases jamais serão comparativas. A verdadeira gratidão não está na percepção de que os outros têm menos ou sofrem mais do que você; ela está no reconhecimento de que o amor traz em si um valor duradouro e de que não existem limites para a sua abrangência. Graças à existência dele, nós podemos ser livres.

HUGH PRATHER
16 de novembro de 2003
Tucson, Arizona

Propósitos deste livro

Há dois níveis de percepção. O primeiro é como um sonho, cheio de conflitos, emoções, vitórias e perdas. O segundo reflete o amor e traz consigo uma sensação de eternidade e imutabilidade. Sempre podemos distinguir qual dessas percepções estamos utilizando pela maneira como nos sentimos.

No início de nossa jornada, a percepção do amor pode parecer surgir e, em seguida, desaparecer rapidamente. Para muitos de nós, haverá longos períodos de relativa desolação. Entretanto, estarão presentes uma inocência crescente e uma convicção cada vez maior de que um amigo caminha ao nosso lado e segura nossa mão com delicadeza. Por fim, fica claro que não fomos abandonados pela realidade, que apenas decidimos desviar os olhos por alguns instantes. Todos nós passamos por tragédias em nossas vidas; algumas pessoas encaram dramas maiores do que outras, porém todos nós conhecemos o medo e a perda. Mas também vivenciamos o triunfo e a alegria. Às vezes o mundo parece perigoso; outras vezes, cheio de esperança. No entanto, a única coisa que ele nunca poderá nos dar é a constância. Por causa disso, sentimos que não podemos jamais baixar a guarda e relaxar. O mundo requer uma vigilância permanente.

O que devemos fazer para entender que a realidade nunca mudou? Precisamos apenas abrir os olhos. Em vez de começar mais uma busca inútil por pequenas vantagens, precisamos olhar para a essência daquilo que está em constante mudança, porque essa busca não pode nos dar o que de fato queremos: um lar verdadeiro que não pode ser destruído, perdido ou traído. Em vez do caos, precisamos escolher o amor, não apenas porque ele é justo com todos, mas porque retrata uma realidade simples, a única que existe.

Reconhecer o amor como real significa jamais desejar entrar em confronto. Damos as costas a um mundo de conflitos, nos afastamos da inútil e eterna luta e passamos a aceitar a liberdade.

Cada vez que praticamos o amor, abrimos um pouco mais os olhos para ele. O amor é nosso meio e nosso fim. É nosso Lar, nossa Família e nossa Identidade.

Talvez acordar para o amor pareça algo despropositado. Há sempre tanto a fazer, tantas coisas a considerar. Talvez o amor pareça sem sentido diante da tragédia e da desgraça, ou pessimista à luz da beleza e do esplendor que também nos cercam. Há inúmeras razões para não acreditarmos em outra realidade. Mas se nos concentrarmos nelas, seremos incapazes de vivenciar a liberdade e a alegria de uma paz que não está sujeita a acontecimentos externos, porque a felicidade depende do futuro e o futuro não pode ser controlado.

Sabemos que Deus não pertence a uma religião específica nem a um conjunto de crenças. Sabemos até mesmo que tentar definir o Divino é tão inútil quanto tentar perpetuar a beleza de uma borboleta prendendo-a num quadro. Este livro não pretende explicar o mundo nem ensinar como fazê-lo funcionar. Em vez disso, ele representa o meu desejo de apresentar percepções diferentes e alternativas da paz de Deus, que é apenas uma palavra e não descreve a dimensão da serenidade que nos cerca e nos completa.

É hora de deixarmos de lado nossas presunções e, juntos, nos regozijarmos com o amor que conforta todos os seres. Estenda sua decisão de entregar-se a Deus a todas as partes do seu ser e a todos os momentos da sua vida. Inclua tudo e todos. Faça disso o pensamento com o qual você acorda e a meta que você acalenta em seu sono. Não deixe de iluminar ninguém e, assim, sua luz começará a penetrar em cada brecha, até que você reconheça que jamais se afastou do amor e que você é o filho, o significado e a alegria de Deus.

Palavras de encorajamento

Potencial

O seu potencial de cura é ilimitado. Você nunca sentiu que tem algo de valor a oferecer às pessoas? Nunca percebeu a capacidade que tem de alegrar o coração de alguém? Você não é gentil, não inspira os outros? Nunca ajudou alguém a não se sentir isolado ou incompreendido em alguma ocasião? Então você não acha que vale a pena usar todo esse potencial de forma mais plena e constante? Seu potencial é o amor. E o amor é Deus. Fazer os outros felizes fará muito mais por você do que se você tentar ser feliz. Isso irá começar a libertar o mundo da dor e a transformar o inferno em paraíso.

Sabedoria

Esta é uma lição fundamental: o verdadeiro perdão é a chave para a felicidade, para o simples gostar, para o contentamento sincero, para dar alegria aos outros, para viver o momento presente e para ter a certeza de que somos livres. Simplesmente perdoe, relaxe, livre-se das antipatias e dos rancores, esqueça as mágoas e preocupações, afaste as recordações tristes e as expectativas dolorosas. Solte-se das amarras, liberte-se e você verá a terra florescer e seu coração se alegrar. Perdoe e seja feliz. Esse é o antigo segredo, o ensinamento interior, a resposta oculta, o conhecimento perdido, a mensagem serena e a única sabedoria que pode ser adquirida.

Controle

Desvio-me daquilo que não posso aperfeiçoar e me aproximo daquilo que posso. Se não tenho condições de curar meu corpo, *tenho* condições de curar minha mente e, assim, me libertar para tomar decisões sensatas. Eu escolho o que me preocupa. O pensamento pode ser dirigido tanto para o caos quanto para a quietude. Posso optar por não esboçar infinitamente as "causas" das minhas dificuldades e projetar, no futuro, as suas limitações e agonias. Se não posso evitar que certas pessoas me condenem, posso parar de analisar seus motivos e deixar de defender meus atos. Não importa de quais aspectos eu não goste ou tenha medo, *posso* interromper minhas desgastantes tentativas de torná-los perfeitos.

Amor

O amor é a única realidade que pode unir as pessoas, as plantas, os animais de estimação, os objetivos, as necessidades e as possibilidades. Nos braços do amor, as peças quebradas são remendadas. Todas as esperanças perdidas, todas as plantações ceifadas, todas as canções terminadas, todas as vidas desperdiçadas e toda luz encoberta são restauradas, preservadas e apreciadas. E permanecem, para sempre e em paz, dentro de mim e de todas as pessoas.

E o que preciso fazer para vivenciar essa bênção? Apenas ser misericordioso. Misericordioso em meus pensamentos e ações. Misericordioso na maneira como vejo e ouço. Misericordioso com meu corpo e meu espírito, até mesmo com meu ego. Porque aquilo que se assemelha ao Amor está contido no Amor. Simplesmente seja bondoso e o Reino de todos os reinos o cercará.

Libertação

Hoje permitirei que todas as coisas sejam como são. Não julgarei nada. Aceitarei o clima, seja ele qual for. Estou contente por participar de cada encontro que está por vir, e vou vivenciar, sem resistir, as circunstâncias nas quais for envolvido. Deixarei que meus amigos ajam como quiserem. Libertarei minha atenção da censura para aproveitar este momento. Permitirei que os membros de minha família sejam o que são, sem *determinar* o que eles devem ser. Tentarei ver meus filhos como eles são, livres de interpretações tiradas das minhas experiências e das motivações que atribuí a eles. Não definirei o papel do meu parceiro nem sua atitude em relação a mim. Não desejarei mudar de personalidade ou de hábitos nem tentarei influenciar as pessoas refreando minha alegria ou reprimindo minhas reações. Deixarei que todos sejam exatamente como são. E, tomado pela serenidade que isso traz, perguntarei como o Divino consegue amar a todos tão profundamente a ponto de nos transformar nos filhos de Deus.

Imaginação

O que pode me proporcionar felicidade neste instante? Imaginar os braços de alguém ou visualizar os sempre presentes braços do amor? Fantasiar futuras riquezas ou sentir a profunda e infinita riqueza do meu ser? Planejar pequenas vitórias sobre outras pessoas ou perceber o carinho e o encanto que poderiam fluir entre nós? Não seria mais prático usar minha mente de forma generosa do que ficar articulando mil idéias egoístas? Por que preencho meus pensamentos com cenas e planos que, mesmo que ocorressem, não fariam com que me sentisse completo nem me satisfariam por muito tempo, se posso aproveitar este momento com algo relaxante, tranqüilizador e agradável? Quando aceitarei a suave verdade do hoje e começarei a reconhecer a inutilidade dos meus pensamentos sobre o amanhã?

Disfarces

Freqüentemente nos punimos para aprender "lições". Repreendemos nossas mentes, disciplinamos nossos corpos e nos flagelamos em penitência. Elaboramos regras rígidas sobre como devemos nos comportar, impomos limites rigorosos a nossos relacionamentos e prejulgamos nosso uso do tempo. É por isso que achamos difícil acreditar que exista algo que não utilize a dor como instrumento de ensino. É por isso, também, que suspeitamos das motivações das outras pessoas. No entanto, essa desconfiança deve ser pelo menos *questionada* se quisermos sentir a presença de Deus. Por que o Criador necessitaria de "avaliações" para verificar a qualidade de Sua criação? Por que Deus precisaria "testar" a natureza de nossas almas? O Universo não tem nenhum plano secreto. E o Divino não nos castiga para nos ensinar o amor.

Pensamento

A mente não pode pensar fora de si mesma. Os pensamentos não podem se separar de quem os pensa. É por isso que jamais conseguirei me distanciar das outras pessoas. Se penso nelas, elas estão dentro de mim; são "minhas". Então o que vou fazer dessa parte da minha mente, um jardim ou um abatedouro? Minha mente mantém tudo em um vasto círculo de energia. Não posso ter um pensamento perturbador sem que todo o resto compartilhe minha angústia. Tampouco posso ficar em paz sem oferecer paz a todas as pessoas que povoam meus pensamentos. Como ouvir significa amar, o amor pode ser transmitido tão facilmente pelo silêncio quanto por meio de palavras e ações. E como as mentes não têm limites, não posso ter um pensamento que não seja da conta de ninguém. Os pensamentos mesquinhos podem produzir apenas efeitos temporários, mas sem amor não existem gestos duradouros nem contatos verdadeiros.

O INÍCIO

Se eu não estiver disposto a esquecer totalmente um problema, que eu possa pelo menos relaxar um pouco. Vou me afastar e esperar até ter outro ponto de vista. Permitirei que minha mente tenha um pouco de serenidade. Pelo menos, deixarei que ela descanse por um momento, talvez até com uma risada de alívio. O amor é o que me impele a me confortar. *Não* é humilde permanecer inquieto, e o amor não exige isso de mim. Vou me esforçar para ter um pensamento tranqüilizador e sentirei que Deus me apóia. Algo terá início se eu fizer não mais que um único esforço neste momento. Começar de novo leva menos tempo do que analisar por que parei.

CONHECIMENTO

É por me recusar a tomar decisões sobre minha vida que posso abrir a mente para a correção e o aprendizado. Preciso me manter firme à convicção de que nada sei. Essa é a única coisa que eu realmente sei. Qualquer coisa sobre mim que seja justificada e "correta" contém pouca esperança. Verdade é a perfeita plenitude, mas não posso ter a pretensão de ser perfeitamente pleno. Isso significa que o que eu penso que sei está incompleto. Em vez de usar o tempo para refletir sobre o que eu deveria fazer, é muito melhor utilizá-lo para lembrar que não existem circunstâncias a decifrar e nenhuma vida sobre a qual preciso decidir. Se eu reexaminar o que um dia considerei minhas vitórias e derrotas, ficará claro que não tenho condições de avaliar meu próprio progresso. Portanto, vou ficar quieto e esperar pacientemente pela sabedoria do amor.

Interpretação

Como nada do que vejo possui um significado único e eterno, estou livre para atribuir a tudo o significado que eu quiser. Não preciso me esforçar para obter a interpretação correta simplesmente porque não existe uma. A questão é como vou querer interpretar o que uma pessoa disse, o que um acontecimento significou ou o que um sintoma indica. Será que consigo compreender que o significado que atribuo às coisas expressa apenas a minha preferência? Se questiono a validade de meus próprios gostos e julgamentos, minha primeira reação ao comportamento de outra pessoa também será questionada. Um tom de voz, um determinado gesto, a escolha de certas palavras, tudo agora pode ser o que eu quiser que seja. O dia é um livro em branco. Portanto, permitirei que uma nova interpretação se forme em minha mente. Usarei livremente as nuances da paz e da compaixão.

Visão

O que vejo com os olhos do corpo não é tudo o que existe. O que vejo com os olhos do amor também é real. Quando estendo a bondade às pessoas, também estendo minha visão e minha compreensão. E, quando sou consistentemente misericordioso comigo mesmo, não apenas me vejo completo: eu me torno completo.

Mente

Os objetos são vistos através dos olhos, não com os olhos. Entretanto, a realidade é vista com o amor e não através dele. Isso ocorre porque só a mente vivencia a visão e apenas a mente contém o amor. Quando *de fato* estou pensando, o amor é a mente com a qual eu penso. Ele reúne as partes espalhadas da minha consciência e totaliza a devastação da minha vida. O meu pensamento neste momento é de união ou de separação? Ele está me proporcionando uma experiência de compreensão e igualdade? Ou eu estou me distanciando de alguém ou de mim mesmo? Quanto mais cauteloso e exigente me torno, menos utilizo a minha mente.

Oração

Quando rezamos, não nos dirigimos ao céu nem às outras pessoas. Nesse nível, nada de significativo é dito ou ouvido. Não podemos atrair a atenção do Divino; nós já a temos. Para sermos realmente úteis a nós mesmos e aos outros, precisamos nos dirigir ao esplendor, um lugar rodeado pela santidade e repleto de paz. Dirigimo-nos tranqüilamente à serenidade. Pacificamente, conquistamos a paz genuína. Existe um lugar onde nossas vozes inevitavelmente se estenderão. Pode ser um lugar sem luz e sem esperança ou com a promessa de conforto duradouro. O que precisamos escutar antes de falar é o compadecimento de nossos corações e o enternecimento de nossas mentes. Isso permitirá que o suave fluxo do amor se mova através de nós em direção ao mundo e retorne às nossas almas.

DESCANSO

As dificuldades podem ser grandes ou pequenas, dependendo da minha disposição para relaxar a mente. A dificuldade é inerente a qualquer situação. O nosso caminho é cheio de problemas. No entanto, nenhum sofrimento é eterno. Em algumas ocasiões, uma circunstância que normalmente seria angustiante é encarada com toda a calma; em outras, um pequeno aborrecimento pode ser sufocante. A condescendência e a flexibilidade fazem a diferença, e nada acalma tanto a mente como o amor e a bondade. Por que, então, não ficamos aliviados ao saber que tudo o que o amor quer é que sejamos tolerantes, que tudo o que a paz deseja é que sejamos felizes? Isso é uma exigência ou um presente? O amor não pode atenuar minha reação se eu insistir em aproveitar todas as oportunidades de ser infeliz. A presença Divina é como as águas calmas banhando as pedras: ela me ergue acima das dificuldades se eu estiver disposto a flutuar. Relaxe, minha humilde mente, porque Deus está aqui. Apóie-se na delicadeza eterna. A fé nada mais é do que o descanso.

Milagres

O amor realiza milagres. No entanto, a que escolho dar valor, ao milagre ou ao amor que ele reflete? Se desvio minha atenção para o milagre, perco de vista a sua causa. O que é importante é importante, e o que é simbólico não merece preocupação. O único milagre verdadeiro é o que abençoa todas as pessoas. Deus é de fato nosso amigo, mas apenas amigos humanos disputam entre si quem é mais amigo de quem. Para mim, a amizade é medida pela camaradagem e pela reciprocidade. Mas como poderia o sol se recusar a brilhar sobre uma única folha, ou como poderia o Divino deixar de beijar a testa de qualquer filho? O Pai de todos nós não nos exclui da vontade de Deus, e, não importa a distância que eu percorra em direção ao inferno, o Amor sempre caminha à minha frente.

Razão

Já criei as regras para a minha felicidade? Já defini as condições e o curso dos acontecimentos que este dia deve proporcionar? Se eu determinar quanto tempo essa tarefa irá levar e como as coisas deverão ficar depois de terminadas, estarei armando uma armadilha para mim mesmo. Se eu não conseguir fazer tudo conforme planejei, vou acumular outra pequena vergonha no sótão da minha mente e aumentar meu estoque de autocomiseração. Posso provar que estou certo e me sentir infeliz ou posso ficar feliz se desistir de estar com a razão. Entre o certo e o errado há um abrigo confortável onde posso me acomodar. Nesse local privilegiado, enquanto observo as nuvens se deslocando em minha direção, sou capaz de deixar as coisas acontecerem. Posso me libertar, livrar o dia das minhas exigências e desejar o bem para todos os seres vivos.

Culpa

O sentimento de culpa é útil quando me faz lembrar das ocasiões em que magoei outras pessoas e me faz sentir uma merecida raiva de mim mesmo. A dor causada pela lembrança de uma traição é purificadora, mas se eu me deixar levar pela culpa, fixo minha mente no erro e não na reparação. Refletir sobre como não quero agir me leva a agir de outra maneira. A mente é uma passagem para o amor, e ela pode estar aberta ou fechada para o anseio que ele tem de fluir através de mim. A culpa mantém essa passagem fechada e perpetua o erro. Além de não curar nada, a culpa é uma falta de respeito pelo Divino.

Caminhos

Muitos caminhos surgem da minha serenidade e dos meus conflitos, mas qual eu decido seguir é de minha inteira responsabilidade. Hoje, farei um esforço sincero para escolher o caminho da integridade e da paz. Vou refletir, recordar, prever e raciocinar enquanto sigo as trilhas marcadas pela justiça e pela liberdade. Hoje, não vou me iludir achando que os pensamentos não têm fundamento. Para que a minha mente continue sendo uma agradável fonte de conhecimento, delicadamente zelarei por ela e a utilizarei de modo a honrar a mim mesmo e a reverenciar a Origem do meu ser.

Propósitos

Sempre determino um objetivo para o meu tempo. Nunca fico sem um propósito. O que pode variar é a sua origem. Se existe um conflito no significado das coisas que faço, me disperso numa série de pequenos objetivos desconexos e o meu dia salta de uma intenção inconseqüente para outra. Mas, se eu me aproveito do meu coração tranqüilo e da minha serenidade, um único propósito se sobressai e eu reconheço que todos os seres vivos têm os mesmos interesses. Quando o objetivo está inteiro dentro de mim, não tenho nenhuma intenção que não possa ser compartilhada com as outras pessoas. Para que, então, serve este momento?

Tempo

Qual é o objetivo do tempo? Ele serve para sermos felizes ou para nos sentirmos unidos a outra pessoa? Posso ficar entusiasmado imaginando o que está por vir, mas não fico totalmente confortável. O futuro é uma estrada de incertezas, e até mesmo uma enorme expectativa é atenuada por uma honestidade básica. Ninguém conhece o futuro; ele não está em nossas mãos. Realizações ou alegrias do passado não podem trazer uma paz completa. Elas ficaram para trás, não existem mais, e a forma como se relacionam com o presente é uma questão de ponto de vista. Não existe momento melhor do que o agora. A não ser que eu traga os pensamentos do passado e do futuro para o presente, o agora está livre de medos e desejos. Todos os acontecimentos são determinados pelo tempo, no entanto é possível permitir que cada um chegue a mim na hora devida. Todos os pensamentos são moldados pelo futuro e pelo passado, mas eu posso pensar com calma e concentrar sua origem na paz. Porém, não há paz quando ficamos ansiosos com situações que não existem mais ou que ainda não ocorreram. Deus está no presente, assim como o meu coração. O agora é um sagrado ponto de convergência.

Presentes

Os pequenos intervalos que roubo da dor – meus períodos de descanso e reflexão – são presentes que dou a mim mesmo e a todos que conheço. Trata-se apenas de um prazer, nada mais. Meu desejo é ter pensamentos que me façam feliz e me afastar daqueles que são desprovidos de amor. Se na minha mente você está danificado, concedo a paz a nós dois e consigo vê-lo novamente como você é. Deixe-me então imaginar um mundo do qual eu gostaria de fazer parte, porque o meu empenho está servindo para torná-lo realidade. Deixe-me lembrar que rezar não é uma obrigação, é um dileto prazer.

Decisão

Não começarei nada até sentir firmeza em minha decisão. Não serei indolente. Até o final deste dia, o meu objetivo será quantitativo. Farei mais esforço para tornar minha vida equilibrada do que já fiz até hoje. Renovarei meu propósito muitas vezes e me lembrarei de que sempre que eu permitir que meu objetivo seja igual ao de Deus, terei sucesso. Hoje, me *empenharei* mais; isso, pelo menos, está em minhas mãos. Tentarei me libertar da irritação e da teimosia. Procurarei alcançar a compreensão e ter uma visão imparcial e tolerante. Buscarei ter um dia de paz ininterrupta para que minha mente possa estender um manto de tranqüilidade sobre tudo o que vejo. E se meu coração, mais uma vez, ficar zangado ou inflexível, voltarei o mais rápido possível para o caminho do amor e para meus verdadeiros desejos.

MÁGOAS

Eu o redimo das minhas mágoas. Eu o liberto da minha interpretação dos seus motivos. Eu retiro a minha "justificada" indignação e o deixo imaculado e feliz em minha mente. Em vez de censuras, ofereço a você paz e contentamento. Eu o enxergarei cantando, com um suave sorriso de liberdade no rosto e envolto em um brilho de intensa satisfação. Eu o abençôo como meu irmão, minha irmã. Você é um radiante membro da Família de Deus e, pacientemente, esperarei que esta sincera percepção chegue de fato à minha mente.

VAZIO

Neste momento, eu me eximo de meu passado. Diversas vezes esqueci o que é importante e dei preferência a coisas irrelevantes em minha vida. No entanto, lamentar isso não é o meu objetivo agora. Eu me liberto de toda culpa e de todo fracasso. Permito que todas as testemunhas da instabilidade e da fraqueza permaneçam em silêncio. Livre do passado, volto-me para Deus. Neste momento, não sei nada, nem mesmo a meu respeito. Preencha-me, então, com seu amor.

Onipresença

Quero ver o Senhor em todos os lugares para que eu possa estar em paz com o que vejo. Para que a minha mente possa ser um lugar de descanso, quero que o Senhor faça parte de cada consideração, desejo e recordação em minha vida. Não apoiarei nenhuma norma que não seja justa, nenhuma regra que não seja libertadora, nenhuma emoção que não inclua a honra ou envolva a segurança e a paz. Em qualquer lugar para onde olho, eu O vejo; em qualquer pensamento que tenho, eu O reconheço; a cada som que ouço, eu O percebo. Que o Senhor seja meu universo, meu único Ser, meu Tudo.

UM CURSO DE 30 DIAS

AFIRMAÇÃO

Estou feliz de estar onde estou porque Deus está comigo.

ORIENTAÇÃO

Hoje, todas as vezes que me sentir angustiado, lembrarei que não é por acaso que estou onde estou. Sinto-me contente por estar aqui, neste lugar e neste momento, porque Deus segura a minha mão com afeto. Todas as vezes que eu sentir uma pontada de ansiedade, perguntarei a mim mesmo se é possível que Deus desconheça as minhas necessidades. Então me apoiarei no Divino e recuperarei a minha confiança.

Afirmação

Que significado eu desejo atribuir a isso?

Orientação

Hoje vou tentar abandonar a minha primeira reação e permitir que uma segunda venha do amor. Se algo não me agradar, vou ficar quieto por um instante e, delicadamente, me perguntar que significado dei a essa situação. Em vez de interpretar e reinterpretar as coisas, vou procurar um sentido tão tranqüilo quanto Deus.

Afirmação

A culpa é o mesmo erro visto de outra forma.
Abençoar é a minha decisão.

Orientação

Ninguém é ajudado por ser julgado. Meu sentimento de culpa não pode curar aqueles que magoei. Se cometi um erro, deixe-me corrigi-lo agora, nem que seja apenas em minha própria mente. Hoje, como o embaraço e a vergonha ainda estão presentes, minha reação a qualquer erro será oferecer reparação e graça – e não agir com complacência em relação a mim mesmo.

Afirmação

O meu corpo é um canal de amor.

Orientação

O ego freqüentemente usa o corpo para fazer as pessoas se sentirem isoladas. O amor o usa para torná-las felizes. Vou prestar atenção às ocasiões em que estou usando o meu corpo e descobrir qual é o meu objetivo. Se não for espalhar a paz e a alegria, vou reconhecer que me tornei mesquinho e impaciente e escolher, em vez disso, uma emoção positiva.

Afirmação

Para chegar à liberdade, voltarei ao amor.

Orientação

Nas várias situações que surgirem hoje, meu ego me oferecerá duas opções: ganhar ou perder. Deus me oferecerá uma terceira: a igualdade. A competitividadc é um convite à dor porque questiona a imparcialidade do amor de Deus, no qual nenhuma pessoa é menosprezada. Na igualdade existe liberdade porque nela renunciamos aos limites. Hoje, rejeitarei uma posição de vantagem para poder experimentar uma posição de paz.

Afirmação

Não vou cultivar nenhum pensamento inútil.

Orientação

A mente do ego se parece com um riacho cheio de peixes agitados. Hoje eu não vou pescar. Embora os pensamentos frívolos geralmente contenham certa dose de agressividade, eles não podem prejudicar a mim nem a ninguém se eu não lhes atribuir um sentido ou não aceitá-los. Posso nutrir pensamentos coerentes ou me agarrar aos inúteis. Hoje, essa escolha será a minha preocupação, porque é ela que define a minha experiência.

Afirmação

Se eu escolher a paz, não estarei em paz sozinho.

Orientação

Da mesma forma, não posso decidir temer sozinho. Todas as mentes estão interligadas, e o que não posso resolver ou evitar não é problema só meu. Hoje vou fazer uma longa pausa para deixar esse fato influenciar meu ânimo e minha disposição. Sempre que eu optar pelo conforto, vou visualizar outra pessoa relaxando no mesmo momento. E quando eu ceder à hipocrisia ou à autocomiseração, verei também o benefício que deixo de conceder.

AFIRMAÇÃO

Deixarei a serenidade ser a minha primeira atitude.

ORIENTAÇÃO

Como posso esperar que o amor penetre em uma mente ruidosa que insiste em ter outras perspectivas? Como posso sentir a profunda paz de Deus enquanto julgo, com raiva, tudo o que me rodeia? Não importa a origem da minha queixa nem da minha aflição: hoje, minha reação será simplesmente não fazer nada. O Divino dentro de mim é muito quieto; o ego é muito agitado; portanto, escolherei o caminho da paz.

AFIRMAÇÃO

Aprender a viver o presente é tudo o que há para aprender.

ORIENTAÇÃO

Vou tentar prestar mais atenção ao momento atual e a tudo o que ele me traz. A jornada até Deus é a jornada para o agora. Ascender ao Paraíso significa mergulhar tão profundamente no presente que todo o interesse pelo passado e pelo futuro se perde. O ego era e será, mas só Deus é.

Afirmação

Não há nada a decidir.

Orientação

Como há um Plano, não há nada a ser decidido. Minha resposta já foi dada; meu caminho, definido; e meu Guia, providenciado. Hoje retornarei aos braços de Deus milhares de vezes. E se surgir alguma incerteza, simplesmente direi "O Senhor decide" e saberei que tudo será resolvido.

Afirmação

A minha vontade não está ameaçada pela vontade de Deus. Sentir a inspiração do amor significa reconhecer o desejo Dele como meu.

Orientação

Deus sabe o quc cu aprecio. Não é intenção do amor ferir ou frustrar ninguém. Será que consigo enxergar todas as possíveis ramificações dos meus desejos mais fúteis? Não vou imaginar um conflito que não existe. É desejo do amor nos transportar através dos jardins do Paraíso e nos depositar às margens das tranqüilas águas da paz. Em vez de confiar em idéias inconsistentes, vou ouvir minha serenidade, sabendo que ela transmite a vontade de Deus e a minha própria.

Afirmação

Não farei esforço para me aproximar de Deus.

Orientação

Se a mente fosse um oceano e eu fosse uma onda, seria desesperador tentar me distinguir da água que me produziu. O que é uma onda sem água, e o que é uma mente sem Deus? O meu ego busca maneiras de se dissociar das outras pessoas e de se tornar auto-suficiente. Mas hoje ficarei quieto e verei que estou onde o Senhor está e sou o que Ele é.

AFIRMAÇÃO

Se desejo uma mudança superficial, não consigo enxergar além dela.

ORIENTAÇÃO

Os olhos do meu corpo me mostram as coisas superficialmente, mas o amor enxerga além da forma. Escolher fazer o que estou fazendo e optar por não culpar os outros por suas atitudes significa tomar a decisão de ver. Todas as vezes que eu me rebelar contra as aparências, lembrarei que a minha visão melhora quando abaixo as armas.

Afirmação

Todo poder e glória residem em minha inocência,
que pertence a Deus.

Orientação

Meu exercício hoje terá uma única instrução: *não magoar ninguém em pensamentos ou ações.* Serei honesto em relação a isso e à avaliação dos resultados que essa atitude traz.

AFIRMAÇÃO

Vou pelo menos tentar.

ORIENTAÇÃO

Deus não omitiu nenhuma resposta, e se eu olhar dentro da minha mente, reconhecerei uma ou duas pequenas ações que posso efetuar imediatamente. Não tenho necessidade de perfeição, apenas de disposição para praticar mais um pouco. Um pequeno passo em direção à luz é melhor do que a escuridão total. Este dia não estará perdido se ainda tiver sobrado um momento para eu começar de novo.

Afirmação

Com tranqüilidade, oferecerei aos outros o que pareço não ter.

Orientação

Qualquer vazio, carência ou ansiedade que eu sentir hoje irá indicar o presente que devo dar às outras pessoas. Farei com que meus pensamentos preencham e abracem os corações daqueles que me vierem à mente. Como um genuíno e satisfatório presente de Deus, estenderei a minha bênção e assim provarei que sou abençoado.

Afirmação

Darei o que eu deveria ter; verei o que eu deveria ser.

Orientação

Na vida, preciso primeiro dar para depois receber e enxergar nos outros o que eu reconheço como meu Eu. Tudo o que tenho que oferecer é uma visão inocente, e dar isso significa conceder o próprio paraíso. Hoje vou praticar esse ato na frente do espelho de Deus e honrar a beleza que existe em todos os filhos do amor.

Afirmação

Não farei planos hoje.

Orientação

Minha atitude caracteriza o que vejo, no entanto, é possível ver sem agir. A percepção é marcada pela serenidade, e a expectativa, pela excitação ou aversão. Quando faço uma interpretação pessoal de indivíduos e lugares, perco a serenidade. O que vejo é o que decidi ver e não o que poderia estar mudando diante de meus olhos. Os egos de algumas pessoas são mais destrutivos do que os de outras, e isso pode ser facilmente percebido. Porém, quando julgo alguém ou alguma coisa, minha percepção fica paralisada. Dois egos não vêem um indivíduo da mesma maneira. Uma vez que eu tenha compreendido isso, estarei livre para enxergar a única interpretação. Saberei que fiz isso quando puder ver a suave transformação que atua dentro de tudo.

Afirmação

Todas as correções começam e acabam dentro de mim.

Orientação

Permita-me reconhecer os benefícios que essa afirmação pode me trazer. Não sou culpado por obter a cooperação ou a recusa de alguém nem por qualquer outra mudança que aconteça nas circunstâncias externas. Sou o único objeto de meus esforços para corrigir. Meu estado mental irá estender-se a todos aqueles que estão em meus pensamentos. É por isso que apenas minha mente precisa ser curada.

Afirmação

Deus é o poder através do qual eu domino a minha mente.

Orientação

A liberdade é conquistada porque minha mente está subordinada à minha vontade. Ela se concentra em minhas instruções e reage como eu mando. E uma mente focada em Deus está inteiramente contida no amor. Hoje, opto por procurar a paz, a paciência, a boa vontade e os sinais de alegria, de modo que eu possa começar a ver aquilo que me rodeia.

Afirmação

Não anteciparei incertezas.

Orientação

Tanto quanto for possível, não temerei a desventura nem imaginarei uma tempestade se formando. A preocupação não é intuitiva e os temores não são mensageiros dc Deus. Não sou protegido por ficar olhando para trás ou imaginando coisas. Então, perguntarei ao amor o que preciso fazer e confiarei em cada detalhe da resposta.

Afirmação

Meu ser pertence apenas a Deus.

Orientação

Deus não é algo a que preciso me submeter. Os anseios pela bondade que sinto dentro de mim vêm da voz de Deus e da minha própria vontade. Quando somos únicos, não há identidades separadas. O amor de Deus é o meu amor. A visão de Deus mostra a minha realidade. Que eu trate o meu eu como algo sagrado e não veja limites ou rivalidades dentro de mim.

Afirmação

Tudo está sereno. Tudo está quieto. Tudo é Deus.

Orientação

Por trás dessas palavras está a única experiência que irá me satisfazer. Não importa o que me aflige, posso pronunciar essas palavras silenciosa, intensa e lentamente em meu coração. E posso acreditar, com toda a certeza, que essa verdade existe na essência de todos aqueles que eu conheço. O Senhor não me deixou. Nenhum ser vivo ficou para trás. Querido Deus, envolvo-me no Senhor e respiro a Paz.

Visualizações, reflexões e outros exercícios

Habilidades mentais

Todas as aptidões mentais que possuímos podem ser redirecionadas, não importa quantas vezes nós as tenhamos orientado erroneamente até hoje. Podemos usar a memória para nos focar no agora em vez de ficarmos nos lembrando do passado. Mesmo que as circunstâncias atuais sejam difíceis ou dolorosas, a capacidade de *permanecer* no presente nos oferece a oportunidade de ouvir a voz de Deus. A habilidade de esquecer pode ser empregada para libertar a mente de sofrimentos antigos e lições desagradáveis. Podemos direcionar nossa concentração para o amor tão facilmente quanto para o medo. E também usar a imaginação para estabelecer uma trilha confortável na qual caminhar.

Visualização

Imagine o tipo de dia que você quer viver. Visualize os diálogos, os encontros e a atitude mental que você gostaria de ter. A seguir, lembre-se dessa imagem iluminada enquanto você realiza suas atividades diárias. Rapidamente se esquive das oportunidades de condenar alguém. Não se ofenda nem guarde rancor. Concentre-se na sua capacidade de ser feliz e liberte sua mente das argumentações inúteis. Você não se criou sozinho, não se imaginou. Existe em você algo além da sua auto-imagem que o torna merecedor de atenção e interesse. Olhe além de seu corpo. Conduza sua mente por avenidas que levem à paz e ao reconhecimento de que você é uma parte inseparável da essência de tudo o que é eterno. Você existe e nada pode mudar isso. Aceite o fato de que sua valiosa mente não morrerá. Devolva-a a Deus, cuja paz pode trazer descanso para um mundo que já sofreu demais.

Salvando do erro

Sempre que erramos, nosso ego formula um plano para nos salvar: sentir culpa ou colocá-la em outra pessoa. Mas isso não é uma correção. Se continuamos cometendo o erro, o ego nos diz que isso prova que *somos* nosso ego e que qualquer esforço para nos libertar dele é inútil; portanto, não deveríamos tentar. Ele dirá que insistir no erro significa que nosso desejo vai contra a vontade de Deus. Se isso fosse verdade, a situação seria de fato desesperadora. No entanto, não é que nos oponhamos à vontade de Deus, nós apenas a interpretamos de forma equivocada. A nossa vontade e a de Deus são as mesmas: satisfação sem vingança, vida sem ofensa e amor sem limites.

Visualização

Nenhum dos seus erros é novo. Eles são respostas antigas tentadas mais uma vez. Um erro não amplia a ignorância; ele simplesmente a perpetua. Não importa há quanto tempo você o cometa nem quantas vezes o percebe e não o corrige. Tudo o que importa é se você está pronto para fazer um esforço em seu próprio benefício. Sempre que se sentir forte o suficiente, ponha de lado a evidência da sua culpa, o desespero da sua condição e, tranqüilamente, deixe o medo sair da sua mente. Fique calmo por um momento e, a seguir, lembre-se de que o Divino não poderia se equivocar sobre o que vê em você. Você pertence a Ele. Você não pertence a um ego e é muito mais do que um corpo. Depois, tente imaginar-se como sendo o filho querido de Deus. Se conseguir obter essa sensação de paz e certeza, mesmo que apenas por um instante, você reconhecerá que a parte de você que cometeu o erro não é aquela que você deseja reverenciar.

Uma abordagem indireta

A fé é construída pela vontade. A percepção humana é filtrada pelo desejo. No entanto, *a maneira* como influenciamos a nossa percepção pode ser direta ou indireta. Os meios através dos quais desobstruímos a nossa visão não precisam ser rápidos nem desagradáveis. Encarar a vida com uma postura delicada e relaxada é tão válido quanto levá-la de forma proativa e agressiva. Como as pessoas e os acontecimentos estão sempre mudando, às vezes simplesmente esperar pode ser uma maneira eficiente de solucionar os problemas.

Visualização

Em vez de tentar se libertar das suas convicções sobre seu corpo, seu carro, sua casa e as pessoas, adote uma abordagem gradativa. Comece perguntando a si mesmo o que você *gostaria* de pensar sobre um telefonema, um objeto, uma situação ou qualquer coisa que atraia sua atenção. Você está buscando um estado de espírito que não condene nada, porque o julgamento, mesmo que pareça justificado, não pode trazer paz para você, para os seus entes queridos ou para o mundo. Imagine o modo como você gostaria de ver todas as coisas ao seu redor. Assim, você estará assumindo a responsabilidade pela maneira como você vê o mundo e não ficará se questionando sobre como as coisas realmente são. Não importa que você ache que não é capaz de enxergar uma luz suave dentro das pessoas ou de si mesmo; *tente imaginar que é.* Se perceber a inocência nos outros, será conduzido à sua própria inocência. Se vir os outros como inadequados ou maldosos, eles irão guiá-lo para a dor. Qualquer uma das percepções é escolha sua.

Perdoando

Meditação orientada

Etapa 1

Pense em alguém com quem você está zangado. Tire alguns instantes para visualizar essa pessoa em detalhes: a maneira como ela se posiciona, como se veste. Lembre-se da aparência física dela e de seus trejeitos. A seguir, acrescente a essa imagem qualquer recordação de insensibilidade, orgulho, injustiça, crueldade ou estupidez que lhe venha à cabeça. Veja como a sua mente se torna mesquinha e rigorosa.

Etapa 2

Desvie sua atenção dessa pessoa e relembre um momento em que você ou alguém estava pensativo, feliz ou amável. A circunstância não precisa envolver a pessoa da Etapa 1. Pense apenas em uma ocasião na qual qualquer adulto, criança ou animal oferecia amor, alegria, paciência ou generosidade. Perceba a luz suave e o relaxamento que chegam à sua mente com esse pensamento. Imagine outro acontecimento, e mais outro, até você ter dentro da sua mente uma palpável sensação de luz. Delicadamente, molde essa luz e a transforme em uma vestimenta – pode ser um manto, um casaco ou qualquer tipo de roupa. A seguir, coloque essa vestimenta de luz sobre o indivíduo da Etapa 1. Conceda a si mesmo um momento para contemplar o suave brilho que envolve essa pessoa agora.

Etapa 3

Enquanto contempla, imagine uma figura iluminada atrás dessa pessoa. Talvez você tenha um nome para ela – santo, profeta, anjo, guia, Jesus, Espírito Santo –, talvez não tenha nenhum. Mas tenha certeza de que esse é o Divino, aquele que vem para curar e purificar. A seguir, observe essa figura santa caminhar até a pessoa que você ainda não perdoou. Pare um momento para ver a luz da sua paz cobrindo-a e a luz de Deus inundando-a. Repare que ela se aquieta na presença de Deus enquanto se sente sendo libertada dentro de sua mente e dentro da mente dela.

A SUAVE REALIDADE

Meditação orientada

Você tem diante de si uma caixa pequena. Ela contém um novo par de olhos feitos exclusivamente de amor. Você retira seus olhos do rosto e encaixa os novos. Apenas por um momento, mantenha as pálpebras fechadas e pense em todas as imagens aflitivas que seus velhos olhos lhe mostravam. Agora abra e feche rapidamente os novos olhos. A luz do Universo que você acabou de ver é muito intensa e regeneradora. Você deseja ter uma visão mais detalhada. Lentamente, torne a abrir os olhos e permita que todas as coisas boas passem a ser vistas.

O tempo acabou

Meditação orientada

Você está parado no final dos tempos olhando para trás. Você escolheu uma série específica de acontecimentos e concentrou seus pensamentos neles. Tudo parece muito real, e as tramas nas quais você está envolvido são desafiadoras e importantes. Repare, porém, na confusa e "acelerada" qualidade do drama. Mas, neste momento, uma serenidade toma conta de você como se um amigo tivesse delicadamente pousado a mão em seu ombro. Com suavidade, surge um lembrete: "Você apenas atraiu um antigo pesadelo para a sua mente. Nada mais. Relaxe e deixe esta cena de confusão voltar para a poeira do tempo." Você observa a agitada história que chamava de "sua vida" recuar. Ela se desvanece enquanto retorna para aquele antigo sonho onde todas as coisas acabam e desaparecem por completo. Agora você está no reino de Deus, uma criação de pura alegria preservada para sempre no amor. Sua mente não se encontra mais presa dentro de um corpo. Você está livre.

Consultando o Divino

Meditação orientada

O que você tem a perder por reconhecer uma experiência maior do que a sua? Será que é melhor telefonar para um orientador espiritual ou ler um livro do que consultar Aquele que compreende o caminho diante de você? Será que não está claro que há uma sabedoria específica que transcende as "lições" da nossa curta história pessoal? O que você sofreria por confiar no que sempre declarou acreditar: que o tempo e a morte não mudam a realidade? Tudo o que nosso corpo percebe não constitui tudo o que existe. Por um momento, ponha de lado seus argumentos e seus medos de parecer ridículo e *veja* se não há alguém que aguarda para abençoá-lo e orientá-lo. Fique calmo e sinta a paz que acena para você em cada situação. Se está sereno, pode confiar na sua intuição. Nunca há uma única coisa a fazer, uma única opção disponível. O plano da paz pode ser encontrado em muitas alternativas. A orientação de Deus não é um ato do corpo ou um comportamento. É um ato do coração. Seguir a orientação significa escolher ser como a natureza da orientação. Como poderiam os caminhos do amor limitar e restringir possibilidades se ele é infinito?

PERÍCIA E ESFORÇO

Existe uma diferença entre perícia e esforço. Nossa mente freqüentemente indica que não somos peritos em perdoar. Podemos achar que perdoamos alguém, mas a mágoa ou o ressentimento continuam vindo à tona. Isso pode ser verdade, mas é irrelevante porque precisamos apenas fazer o esforço para perdoar este instante. Olhar para trás e julgar nossos esforços para não *julgar* simplesmente aumenta o erro.

VISUALIZAÇÃO

Na próxima vez que você se sentir frustrado ou confuso, experimente pensar em alguma coisa que contenha um pouco de amor.

Qualquer pensamento serve: um diálogo tranqüilo entre você e um amigo, uma lembrança agradável de seu filho ou de seu animal de estimação. Ou então imagine os dois lados opostos de uma guerra atual depondo suas armas e avançando sobre seus antigos inimigos com gestos de boas-vindas e amizade. Se preferir, faça o esforço desta maneira: sente-se em uma posição relaxada, feche os olhos e, em silêncio e lentamente, repita o nome de Deus. Enquanto fizer isso, concentre-se na experiência por trás dessa palavra e deixe-se atrair para ela. Se você se sentir mais à vontade assim, deixe seu esforço tomar a direção da tranqüilidade mental em vez de pensar em imagens ou palavras. Todos os sistemas religiosos, místicos ou terapêuticos do mundo exigem algum tipo de concentração, portanto não exclua qualquer tipo de esforço por achar que permanecer mentalmente disperso representa uma forma de aprovação. Desde que não haja angústia, faça o seu esforço da maneira que quiser; a seguir, continue o seu dia sem olhar para trás para avaliar os resultados. Quando se sentir pronto, tente novamente. Cada tentativa que você fizer produzirá uma alteração na direção de sua mente. E, mais cedo do que você imagina, atingirá o seu objetivo de virá-la na direção certa.

O ÚNICO LEMBRETE

Há um lembrete que devemos utilizar sempre que possível: "*Não estou sozinho.*" Há alguém conosco até mesmo agora – neste lugar, neste momento e nesta situação. Não podemos fazer nada sozinhos. O nosso ego nada mais é do que a crença de que podemos.

Falando com o pensamento

Só precisamos nos dirigir a Deus em nossas mentes. Não existe nada que tenha que ser visualizado, sentido ou dito. O passado não precisa ser revivido nem acontecimentos revistos com mais rigor. A preocupação com o futuro não irá nos proteger, portanto é bom elaborar planos para evitar o que tememos. O medo do futuro não é o melhor referencial para as decisões que tomamos no presente. Uma revelação que recebemos de Deus não precisa ser repetida para alguém que achamos necessitar ouvi-la mais do que nós, tampouco precisamos usar os lembretes do amor para nos forçar a ser pessoas melhores.

Visualização

Na quietude do seu pensamento, você pode dirigir-se a Deus em segurança. Qualquer recordação que sirva para justificar seus atos – ou os de outra pessoa – é perda de tempo. Ela o deixará amedrontado, isolado e enfraquecido. Sempre que você perceber esses pensamentos, pausadamente direcione sua mente para algo que importa. Isso vai poupar seu tempo. Embora todas as tentativas sejam benéficas, você pode fazer pelo menos uma coisa para torná-las ainda melhores: não se dirija a ninguém em sua mente, apenas a Deus. Converse com Ele em seu sábio e silencioso coração, onde a quietude da santidade o envolve com a paz.

O medo da unidade

Por que resistimos a amar certas pessoas? Não será porque as julgamos e não queremos nos envolver com algo que nos desagrada? Mesmo quando o caráter de uma pessoa é o que acreditamos que seja, existe uma verdade maior na qual podemos acreditar. É impossível a união com uma projeção. Aquilo que tememos nos contaminará se não amarmos o que nos pediram para amar.

Visualização

Na presença – real ou imaginária – dessa pessoa de quem você não gosta, não fique na defensiva. Torne-se inofensivo diante dela. Torne-se tão inócuo quanto a chuva que cai na grama. Retire lentamente a armadura e liberte-se da impaciência, do medo e da raiva. Silencie todos os pensamentos agressivos, sejam eles moderados ou excessivos. A seguir, abra-se como uma flor ao sol: sem esforço e sem pensar a respeito. Quando todas as defesas caírem, você verá que esse filho de Deus anseia pelo mesmo que você: ser visto, apreciado e reconhecido como inocente.

Agradável esforço

Se você se sente desanimado em relação ao seu progresso, se quer dar o próximo passo mas fica cansado ou triste só de pensar em ultrapassar o primeiro estágio, saiba que está equivocado sobre o que é esperado de você. O esforço é para ser usado apenas como um meio de abandonar o esforço. Você simplesmente se esforça para lembrar que não precisa fazer nada. Sim, você será firme consigo mesmo, mas apenas com o objetivo de esclarecer que você não conhece o caminho para o lar, que não sabe qual é o próximo passo e que sua força só poderá se manifestar quando você se colocar de volta nos braços de Deus. O maior obstáculo ao nosso progresso espiritual é a suspeita de que estão nos pedindo que façamos alguma outra coisa que não seja descansar em paz. Por trás desse medo, há uma suposição de que as regras que nos ajudam a progredir exigem sacrifício e que nada de valor é obtido com facilidade. Por isso achamos que estão nos pedindo que façamos algo desagradável, maçante ou amedrontador. Mas isso não acontece. As regras de aperfeiçoamento pedem exatamente o oposto: confiança, tranqüilidade e abertura.

VISUALIZAÇÃO

Não é possível que você realmente queira fazer algo que o afastaria da meta do seu coração. Se algum dia você já pensou assim, é porque não sabe onde está seu tesouro. Quando se sentir irritado, desanimado, injustiçado ou achar que está lutando contra si mesmo, não faça nada. Não fazer nada é tudo o que você precisa fazer. Mas você realmente precisa fazer isso. Admita quão pouco você sabe e, a seguir, afaste-se mentalmente. Aguarde o movimento de Deus. Nós somos como crianças e Ele é como um trem brilhante que nos guiará a uma terra de inesperado encanto e beleza. Precisamos apenas nos deixar levar.

Preocupações

Concentre-se apenas no que pode ser oferecido e compartilhado para que sua mente permaneça unida. Unida na paz e no amor. Unida na visão de cura. Não se preocupe com o que é angustiante, conflitante e duvidoso. Não se atenha a insignificâncias – pequenas mágoas e vitórias triviais. Mas preocupe-se com o olhar de compreensão, com os atos de delicadeza, com os gestos de paciência. Preocupe-se com a alegria, com a harmonia, não com conflitos de relacionamentos. Perdoe rapidamente os erros dos outros. Não deixe sua mente em guerra. Para que você possa continuar a ouvir uma única voz e a ver um único ser, olhe além das pequenas contrariedades e distrações. Olhe o que o torna feliz. Pelo menos tente. Somente uma percepção simples pode ajudar e curar. Se a sua visão estiver dividida, ela se tornou parte do problema. A unidade, a simplicidade e a bondade são sentimentos práticos e eficazes. Mas escolha-os porque são verdadeiros. Mantenha suas interpretações serenas, deixando-se atrair pela luz que o cerca.

Pontos de referência

Para onde sua mente retorna quando precisa de segurança? Qual é o seu lugar de descanso, a "realidade" onde você se refugia sempre que se sente estressado ou desolado? Você encontra "descanso" pensando nas coisas que possui – sua influência, sua posição, seu nome? Você se sente seguro agarrando-se àquilo que acumulou – propriedades, economias, uma "bela" família ou "bons" amigos? A sua mente retorna a coisas como essas para assegurar-se de que os problemas do presente não importam? Se esse for o caso, você ainda não descobriu sua razão para estar aqui. Mas você pode fazer isso neste momento, se desejar. Você já sabe que as pequenas plataformas nas quais você tenta se equilibrar – quaisquer que sejam – sempre acabam desabando. E se agora você começar a cuidar bem da sua saúde, ou se agarrar desesperadamente a seus entes queridos ou lutar para manter sua reputação, é só uma questão de tempo até você constatar, mais uma vez, como essas defesas são frágeis. Mas você não precisa continuar a agir assim. Apóie o seu peso em algo que o sustentará. Você saberá em que confia analisando as coisas para as quais sua mente retorna em busca de segurança. Se for o amor, suas crescentes paz e confiança estão asseguradas. Se for a beleza, você escolheu certo. Você realmente fez uma escolha para o futuro e não para alguns momentos fugazes. A paz não é externa. Ela é interna. Assim como uma lagoa encrespada por um vento passageiro, retorne à tranqüilidade. Faça da paz o seu ponto de referência, seu abrigo, seu lar. Não importa quantas vezes você tropece, faça desta a sua única resposta: esperar por seu Deus em paz.

A INOCÊNCIA

Não há medo maior do que o medo de ser feliz. E não há nada que cause mais relutância do que ver os pecados como erros. Quem poderia, com toda a honestidade, condenar as outras pessoas se admitisse que tudo o que elas fizeram foi cometer um erro? E quem poderia não perdoar se reconhecesse que acha agradável fazer o papel de juiz? Erroneamente acreditamos que o nosso valor está na forma como nos comparamos aos outros, e que vê-los como inocentes seria negativo para nós. Então, para que nenhum resquício de culpa passe despercebido, mantemos nossa vigilância inflexível e severa. Para que haja qualquer esperança de felicidade, precisamos primeiro reconhecer essas ocasiões em que tememos a inocência – que são os mesmos momentos em que resistimos à liberdade. Criemos, portanto, um genuíno interesse por nós mesmos. Renunciemos às comparações e, em lugar delas, experimentemos a tolerância que representa a vontade de ser feliz.

Um belo balão

Meditação orientada

Há duas percepções deste mundo: uma sombria, a outra otimista; uma pesada, desoladora e desesperadora, a outra cheia de vida e iluminada com o amor e a paz. Uma é certamente o inferno; a outra, o paraíso. Você já viu o mundo dessas duas maneiras, mesmo que sua memória pareça distante. Descanse um instante em paz e, a seguir, imagine a sua mente como um belo e flutuante balão cujo objetivo é voar em liberdade e entrar no paraíso sem dificuldade. Mas, neste momento, ele está preso a um mundo velho e cansado, um lugar esgotado com vitórias vazias. Hoje temos o poder de libertá-lo e deixá-lo voltar para o seu lar. Esse balão o carregará a qualquer lugar que vá, porque ele é a sua mente. As correntes que o prendem a este mundo estéril são aquelas coisas que você ainda considera importantes. Se algo tem um significado particular para você, isso o prende a uma percepção sem amor. Quando você deixa de temê-la, essa corrente se quebra. Liberte sua ansiedade e mais um elo se romperá. As correntes assumem muitas formas e nomes, e variam de pessoa para pessoa: algo possuído ou desejado, o poder almejado ou perdido, um insulto imaginado ou proferido, dietas saudáveis, tratamentos de beleza, talentos e habilidades especiais. Tudo o que parecer sedutor o acorrentará a este mundo até você estar disposto a analisar com honestidade o que realmente aprecia. Faça isso agora. Reveja as âncoras e as correntes. Não omita a sua lista de qualidades pessoais e falhas imaginadas. A seguir, jogue esse peso para fora da sua mente até que, puro e livre, você possa deixar o velho mundo para trás, não como algo que você não aprecia, mas como um lugar que não o controla mais. E, como um belo balão, voe para a luz de um mundo que é seu lar e seu destino.

Projetos mentais

Decisões

Quando nosso objetivo está claro, não resta dúvida sobre o que fazer. No fim das contas, nosso progresso é medido não por aquilo que fazemos, mas pelo que consideramos ser a nossa meta. Determinamos o objetivo do nosso ego ou o propósito de Deus, e isso é definido por aquilo que consultamos dentro de nós quando tomamos uma decisão. É impossível não consultar alguma coisa. Se achamos que o passado ou o futuro são guias adequados, não acreditamos que o amor possa nos direcionar.

O objetivo de Deus não pode ser imaginado ou racionalizado. Ele precisa ser vivenciado. Não podemos simplesmente criticá-lo ou interpretá-lo, pois isso é uma forma de fuga. Essa fuga serve para fortalecer a crença de que a bondade pode ser disfarçada e que a ajuda nos será enviada por meio de provações. Isso não faz o menor sentido, porque Deus é justo, o amor está presente e a verdade é inequívoca.

Pedir orientação à nossa essência de paz facilita o reconhecimento das conseqüências do que fazemos. No entanto, isso não garante bons resultados. A bênção é nossa herança de Deus e, portanto, um direito nosso. Ela não pode ser negada, mas pode, indubitavelmente, ser ignorada. Entregar todas as decisões a Deus protege nossa mente de conflitos. O conteúdo afetivo da nossa percepção determina a maneira como classificamos nossos relacionamentos, nossa saúde e a sensação de uma vida produtiva.

Aquilo para o que nos voltamos em busca de orientação não criará o futuro, mas afetará a nossa experiência em relação a ele. Neste sentido, a nossa felicidade vem da aceitação dos ensinamentos de Deus e da perda de interesse pelo que é pessoal e pelos nossos instintos. Como geralmente agimos como se nosso futuro dependesse de nós, para libertar a mente do medo é útil pedir instruções sobre decisões relativas a ele. Comece por essas inquietantes opções que você reconhece, mas não avalie a importância delas. Pergunte-se o que deve fazer. A resposta pode vir depressa ou aos poucos. Assim que você enxergar sua escolha, aja com confiança e, a seguir, aguarde até sentir a necessidade de perguntar de novo. Você não deve agir até descobrir de que parte de você está vindo essa ação.

Uma boa regra geral é não perguntar o que fazer até a decisão poder ser executada no presente. Pedir ajuda a Deus com antecedência apenas alivia sua ansiedade. A resposta não está necessariamente relacionada à orientação que você receberá mais tarde. Uma segunda regra é jamais questionar a resposta – que é, antes de tudo, um resultado da fé – a não ser que, por causa da sua insistência na decisão, alguém esteja sofrendo.

Podemos enfraquecer de tal maneira a nossa capacidade de ouvir que a resposta pode surgir apenas após termos perguntado mais de uma vez. No entanto, não é necessário pedir várias vezes, até porque isso pode causar confusão. Quando você age com calma, está diante da resposta certa. E, como conseqüência, sua habilidade de colocar em prática a orientação cresce com bastante rapidez.

Uma terceira diretriz é compreender de que maneira a orientação chega à mente. É improvável que você receba muitas instruções sobre mudanças significativas na sua vida. É mais provável que você tenha a resposta para cada etapa na hora em que a decisão deve ser tomada. Portanto, lembre-se de que você não sabe aonde leva o que lhe disseram. É óbvio que você não poderia imaginar um motivo pessoal que esclareceria o propósito de suas instruções. Fique contente em seguir cada pequeno conselho no momento em que lhe for dado, sabendo que chegará a hora em que, ao olhar para trás, você verá um significado mais amplo e belo do que jamais imaginou.

A última regra é ter em mente que você não está procurando instruções de comportamento, mas a cura para suas atitudes. O Divino não está interessado em suas preferências, ele quer que você escolha, permaneça em paz e sinta sua ligação com aqueles que o cercam.

Na realidade, a aparente necessidade de tomar uma decisão reflete um conflito interno. A mente fica paralisada de incerteza, e pedir orientação é uma maneira segura de acalmá-la. No entanto, quando você não hesita sobre o que faz e se sente inspirado e em paz, não é necessário indagar a respeito de cada detalhe. Quando você está nesse estado despreocupado, as pessoas ao seu redor ficam bem e ninguém sofre por causa de suas palavras ou atitudes.

Sempre que possível, transforme seus momentos de súplica em momentos de serena atenção. Não há dúvida sobre o que fazer, e essa é a única lição que devemos aprender. A nossa vontade e a vontade de Deus estão de acordo. Apenas o ego está indeciso, só ele sente a necessidade de questionar. Nosso objetivo é contornar a dúvida e a confusão e prosseguir em paz. Se pudermos realizar isso através de uma atenção incondicional e de uma gratidão genuína, estaremos melhor do que se acreditássemos que o conselho que recebemos contém todas as respostas. Portanto, sempre que as circunstâncias permitirem, evite avaliar os problemas, abandone todos os questionamentos e exigências e volte-se diretamente para Deus. Tudo o que você precisar dizer ou fazer fluirá de uma paz genuína e harmônica.

Nós não criamos nossa realidade nem determinamos o curso dos acontecimentos porque isso tiraria o sentido do plano divino. Não conseguiríamos estar no lugar errado sem alterar as atividades de todos que encontramos. Se o Universo cometesse um único erro, afetaria completamente o seu perfeito funcionamento. Alterar a realidade e modificar a verdade não são parte do livre-arbítrio, no entanto, o ego recomendará que permaneçamos humildes ao admitir nossa falibilidade. Mas será que é humilde reivindicar a capacidade de alterar a vida?

Não escolhemos entre milhares de futuros diferentes, mas decidimos a maneira como iremos interferir no intercâmbio entre os filhos de Deus. Não podemos controlar os acontecimentos externos. Os acontecimentos nos surpreendem. Nós nos sentimos vulneráveis e sozinhos. Apenas o nosso grau de desatenção varia. Tentamos nos esforçar, tentamos manter a vida em nossas mãos e fazer com que os outros se comportem bem, mas rapidamente qualquer sensação de progresso nessa direção é desfeita.

Este mundo tem outro Criador. Todos os erros são traduzidos por Ele em etapas que conduzem à liberdade. Não podemos fazer nada que não tenha sido previsto e transformado em benefício para nós e para aqueles que nos cercam. Mas isso precisa ser compreendido antes que pareça funcionar em nossa experiência. No nível da interpretação Divina, tudo o que é verdadeiro no Paraíso é verdadeiro na Terra. Podemos reconhecer isso na maneira como as coisas funcionam aqui e agora. No Paraíso não há necessidade de decisões porque tudo já nos foi concedido por Deus.

Hoje, seremos presenteados milhares de vezes com a oportunidade de acordar. A constatação de que temos essa oportunidade nos permite liberar o futuro e nos concentrar apenas neste instante. Podemos nos satisfazer com o desenrolar natural dos acontecimentos, deixar nossos corpos contarem suas insignificantes histórias e reconhecer que, qualquer que seja a direção a que a vida nos conduz, ela não consegue afetar nossa realidade. Escolhemos Deus e isso significa que decidimos ser bons. Escolhemos o amor sincero, a cooperação imediata e a caridade verdadeira. Nossas únicas perguntas serão: Estou disposto a executar a função que o amor me deu neste momento? Estou preparado para perdoar os meus erros e os das outras pessoas? Estou aberto a ser feliz aqui e agora e, através da minha mente, trazer um pouco de sossego ao mundo inteiro?

Pensamentos superficiais

Em todas as suas várias atividades, o corpo não requer cooperação da mente. A mente pode influenciar o corpo, mas o corpo não pode invocar a mente, mudá-la, diminuí-la ou eliminá-la.

Embora o nosso ego afirme que precisamos refletir sobre o que estamos fazendo, isso não é verdade. A reflexão é um substituto da concentração, uma tática do ego para tirar a mente do nosso controle. Ele sugere que talvez preferíssemos manter nossa mente no amor, mas diante de nós há uma tarefa que requer raciocínio e não há nenhuma parte dela disponível para qualquer outra coisa.

Todas as coisas se encaixam com mais facilidade quando a nossa mente não fica perturbada com o que estamos fazendo – por exemplo, quando desejamos estar em outro lugar ou achamos que o que estamos fazendo não é responsabilidade nossa. Sempre que estivermos relaxados internamente, não seremos distraídos. E nosso corpo funcionará de forma eficiente. Uma mente alvoroçada *é* distraída, enquanto a serenidade permite que a concentração ocorra naturalmente.

Após um instante de tranqüilidade com Deus, seu ego pode sugerir que essa coisa espiritual precisa ser posta de lado porque você deve se concentrar nas tarefas práticas que tem à sua frente. Se você empregasse toda a sua mente nessa atividade, essa seria, de fato, uma forma de meditação pura. Mas, quando você observa de perto, percebe que, enquanto o seu corpo executa a tarefa, sua mente não está concentrada no que está fazendo: ela está afastada, tecendo comentários. A seguir, ela se desvia para algo que não está relacionado à tarefa e fica passando, aparentemente sem nenhum objetivo, de um assunto a outro.

As expressões "pensamento superficial", "projeção", "dissociação" e "pensamento frio" são, em termos espirituais, intercambiáveis. Elas apenas enfatizam aspectos diferentes do mesmo erro. O que significam? "Superficial" é um pensamento que, embora possa parecer ocioso ou neutro, não é. Acreditamos que ele permanece dentro da cabeça e não influencia o mundo que vemos – um pensamento particular que não traz conseqüências, não muda nada, não afeta ninguém e, portanto, não merece nossa atenção.

Na realidade, um pensamento superficial, quando é tudo o que a mente consome, é uma forma deliberada de conserto e manutenção usada pelo ego. O ego repara todas as cercas que ficam enfraquecidas durante nossos momentos de paz. Esse tipo de pensamento pode ser qualquer coisa menos uma atividade neutra, porque ele recupera o sistema de pensamento sobre o qual nosso mundo sensorial repousa. Ele não é inofensivo porque todas as formas de dor fluem direta ou indiretamente dessa atividade mental.

A diferença entre "fantasiar", "sonhar" e "perceber" está na duração e na intensidade dos pensamentos envolvidos. Nossos pensamentos são compostos de breves fantasias sobre o passado e o futuro. O pensamento superficial, qualquer que seja a forma que assuma, constitui uma tentativa de ensaiar, reescrever, planejar ou reativar. Ele ignora o momento atual e se concentra em um tempo que já passou ou que ainda não aconteceu. Muito pouco pensamento real está contido nesse processo, porque o verdadeiro pensamento é uma percepção tranqüila e significa amor.

O primeiro passo para libertar a mente da divagação inútil é a serenidade. A serenidade pode estar associada à inatividade física, mas é preciso esforço para levar tranqüilidade mental e paz a cada situação que o corpo enfrenta. Caso contrário, pode significar um empecilho à felicidade.

A maior parte dos momentos em que é possível fazer uma pausa e falar com Deus já foi concedida. A expansão da serenidade pode vir, portanto, da vontade de aproveitar esses períodos de descanso ou transição. As oportunidades de vivê-los parecerão se multiplicar quando forem utilizados. Não é um erro planejar esses momentos em sua rotina. Quando acreditamos no planejamento, *exercitamos* essa crença, e praticá-la com amor é muito mais benéfico do que praticá-la com medo.

Quando você tenta introduzir boa vontade às atividade, encontra facilmente os meios para fazer isso. A *busca* por esses meios nada mais é do que uma tática do ego de retardar as coisas. O desejo sincero de estar no amor e pertencer a ele é tudo de que você precisa. Você não pode almejar mais liberdade para sua mente se não lhe mostrarem como consegui-la. Deus apenas espera por um coração aberto.

"Peça e será atendido" é a orientação para uma oração bem-sucedida que aponta para nosso coração, e não para o coração de Deus. Quando descobrimos o que realmente desejamos, nós automaticamente o recebemos Dele. Mas quando tememos nos livrar de um problema, Deus não faz nada para aumentar nosso medo. Portanto, não tema. Procure delicadamente em seu coração o que você realmente deseja. Quando encontrar, não sentirá mais medo.

Como já foi dito, não precisamos pensar sobre o que estamos fazendo, mas apenas procurar a paz naquilo que fazemos. Para pensar, as palavras são desnecessárias, mas elas são úteis para direcionar a visão da mente. Substituímos as centenas de focos conflitantes oferecidos pelo ego por um único foco. Chegará o momento em que você poderá deixar a sua mente desprotegida e ela não projetará mais. No entanto, são poucos os que já atingiram esse estágio. Eu mesmo não consegui alcançá-lo e não conheço ninguém que tenha conseguido. Estou apenas lhe oferecendo as palavras que me ajudaram a começar a abandonar a necessidade de palavras.

Primeiro, dizemos apenas a verdade. Nós a aceitamos intelectualmente. A seguir, começamos a suspeitar de que a verdade seja realmente verdade por causa da evidência que estamos começando a ver. Mais tarde, aumentamos a nossa confiança nela e, por fim, reconhecemos que somos verdadeiros.

Como as mentes estão unidas, de certa forma tudo em nosso ambiente faz a mesma coisa ao mesmo tempo. Se defendo meu ego, aparentemente todos os egos ao me redor se defendem no mesmo instante. Se me coloco na defensiva quando estou sozinho, as figuras que povoam meus pensamentos se tornam cautelosas. E, se eu estiver sonhando, as figuras em meu sonho se protegerão umas das outras. Apenas as manifestações defensivas sobressairão. Cada ego se defenderá de seu jeito. Suas maneiras de agir podem divergir muito, mas todos eles sentirão uma pontada de medo. Visto dessa forma, o comportamento das outras pessoas – seja ele imaginado, sonhado ou presenciado – funciona como um alarme que nos avisa que estamos nos prejudicando por insistir em uma determinada atitude produzida pelos pensamentos superficiais.

Embora seja necessário bastante empenho para impedir que a mente crie situações de restrição e agressividade, o esforço é tranqüilizador e representa uma forma de uso mais agradável para a mente do que a versão do ego de "deixar para lá" ou "desistir". Quando a mente entra em conflito, a pressão pode se tornar forte e a ansiedade, perceptível. Volte seus pensamentos para Deus e compartilhe o agradável conjunto de imagens de cura do amor. É infinita a quantidade de pensamentos que você pode ter que contenham amor. Direcione sua mente para esse único objetivo e sua consciência irá relaxar. O mundo será afetado por sua delicada escolha.

Sonhos

Se este livro estiver correto em suas suposições, tudo o que foi discutido aqui pode ser encontrado em sua experiência. A dúvida que ele tenta esclarecer é se você deseja continuar vivenciando tudo da mesma maneira ou se consegue se libertar de certas crenças e "realidades".

É preciso que fique claro que o que acreditamos ser real se reflete naquilo que vemos. No entanto, quando realidades diferentes se chocam e se contradizem, uma escolha é feita entre diferentes evidências que apontam para conclusões opostas sobre o que somos. Um bom exemplo é: o que veríamos se olhássemos honestamente para dentro de nós mesmos? O que de fato desejamos mais profundamente? Possuímos o desejo de curar ou o impulso de ferir?

As janelas da percepção parecem se abrir para mundos opostos.

Vistas com temor, as motivações das pessoas parecem bem diferentes de quando vistas com amor. O mundo que vemos reflete uma imagem do local onde desejamos estar.

Os sonhos que temos à noite são excelentes ilustrações de como a mente pode criar universos inteiros e, a seguir, esquecer o papel que ela desempenhou. Os pensamentos nos afetam igualmente quando estamos acordados ou adormecidos, apesar das diferentes "regras" que esses dois estados representam. Tudo o que é visto pelos nossos olhos está sujeito a uma projeção. Não uma projeção do corpo, mas da mente. Isso não é difícil de entender porque todos nós sabemos como os sonhos e as fantasias se formam.

Durante o sono, nossa mente muitas vezes vê a si mesma com um corpo diferente do nosso, que está deitado na cama, sonhando. O corpo não pensa, mas a mente, sim.

No sonho, todas as figuras parecem pensar e agir de maneira independente e, muitas vezes, se surpreendem com o comportamento das outras. No entanto, ainda somos nós que, adormecidos, produzimos todas essas imagens. Nós formamos nossa experiência de acordar da mesma maneira que formamos os sonhos. O que mais podemos aprender sobre esses dois estados?

1. Há dois tipos de sonhos. Podemos sonhar com um mundo idealizado, muito distante da realidade. Um tipo de sonho exclui a justiça e tudo que é eterno; o outro reflete o que é verdadeiro em nosso relacionamento com Deus. De certo modo, nossa missão é sonhar apenas sonhos de perdão. O despertar em Deus só poderá ocorrer após nos tornarmos competentes e consistentes nessa forma de disciplina mental.

2. Dentro da nossa mente há a suspeita de que muito do que fazemos é estritamente por interesse próprio, que em alguma ocasião já abusamos de nossos amigos, traímos a nossa família e desperdiçamos nosso tempo e talento em buscas banais. Essa suspeita

é verdadeira se levarmos em consideração nossas motivações predominantes e superficiais. Mas ela também se aplica a nossas motivações mais profundas e funciona como uma base para tudo o que pensamos e fazemos. Como conseqüência disso, a culpa nunca está totalmente ausente. Parece que, independentemente de nossos esforços, não podemos vivenciar um único instante de relaxamento. Mas será que isso é totalmente verídico?

Da mesma forma que nos sonhos, existe pelo menos um instante de libertação na vida de todas as pessoas. Às vezes ele fica tão perdido na memória que nos perguntamos se de fato ocorreu. Será que nos equivocamos sobre ele assim como fizemos em relação a tantas outras coisas? Mas esse momento realmente existiu. Somente as coisas que refletem a verdade *são reais*.

Esses momentos de luz possuem certas características que os distinguem da nossa percepção usual. Ficamos tão absortos na beleza que nos cerca que o passado e o futuro perdem a importância. Não há mais nada que não possamos perdoar. Nosso caminho para o Lar está assegurado e estamos satisfeitos em deixar as coisas nas mãos de Deus. Nossa mente não se detém em nada, se move livremente de uma cena de paz para outra; a culpa não penetra na nossa consciência porque não é justa nem verídica.

Por outro lado, a percepção insensível se assemelha a um acesso de raiva filmado em câmara lenta. Existe algo que nos desagrada em tudo o que vemos. Nada passa sem ser julgado. A inocência é relativa, a paz é apenas a idéia de que alguém sofre mais do que nós. Como essa maneira de pensar baseia-se em comparações, tudo parece estar em desacordo e consideramos amigos aqueles que são menos competitivos no momento.

Nossa experiência atual é a mistura de uma percepção sem temor e outra dominada pelo medo. A maioria das pessoas não percebe com que freqüência alterna essas percepções. Mas o nosso maior problema é que não sabemos qual delas tem valor. Nós amamos um pouco, agredimos um pouco e nenhum progresso real é feito.

Será que você nunca notou que as diferenças na textura, no formato, na intensidade dentro do mundo da aparência começam a perder importância quando a beleza começa a ser percebida? Será que não houve um momento em que *todos* os detalhes eram adoráveis e não apenas uns poucos efêmeros? Ou um instante em que o coração era delicado e compassivo? Ou que o corpo de outra pessoa não representava mais o caráter dela? Ou que a distância tenha se tornado irrelevante para a comunicação?

Algo dentro dessa desconstrução de limitações nos mostra que, se pudéssemos ver o final do tempo, compreenderíamos tudo o que ocorreu em nossas vidas. Esse novo reconhecimento não aponta para a culpa; ele nos liberta – assim como liberta os sonhadores que se conscientizam de sua responsabilidade sobre os sonhos. Compreendemos que não alteramos a natureza da realidade, mas que *podemos* alterar a natureza de um sonho.

3. A não ser que imaginemos que algo que aconteceu em um sonho esteja ligado a um fato do nosso dia-a-dia, qualquer coisa vista apenas como um sonho é descartada. Na realidade, a mente apaga os sonhos quase tão rapidamente quanto eles ocorrem. Quem continua a discutir com um personagem de um sonho após acordar? E quem, ao perceber que era apenas um sonho, continua a se preocupar com o rumo que os acontecimentos tomaram? Em resumo, ninguém reage ao que é reconhecido como ilusão.

É possível aplicar essas percepções à vida diária. Não se trata de negar os acontecimentos, racionalizá-los, ignorá-los ou até mesmo compreendê-los. E sim de os entregarmos a Deus porque reconhecemos que apenas Ele entende seus objetivos. Nesse momento, nossa percepção muda de "Podemos perdoar, mas não conseguimos esquecer" para "Só podemos perdoar se esquecermos". Esquecer não significa nos tornarmos insensíveis ao sofrimento ou subestimar os efeitos da dor em nós mesmos ou nos outros. Significa apenas acreditar que a paz pode ser levada a todas as situações e que a conscientização do poder de cura de Deus pode nos confortar nas dificuldades e até mesmo na ruína pessoal. Qualquer forma que o medo assuma se torna menos atraente quando vista sob a luz do amor.

4. A maneira como a mente se imagina também é vista nos sonhos. Não é necessário apenas o nosso corpo, mas outros corpos para reagir a ela e "provar" que a mente é, de fato, algo diferenciado.

Muitas crianças têm amigos imaginários. Essa é outra artimanha aplicada ao pensamento para agir como se ele tivesse vontade própria. Enquanto vemos um benefício em sua permanência, ele age independente de nós. Quando nos esforçamos para nos livrar dele, apenas fortalecemos a crença de que esse amigo imaginário existe de fato. Somente perdendo o interesse no propósito que o fez aparecer é que conseguimos fazê-lo sumir.

O ego se assemelha muito a um amiguinho imaginário. De certa forma, ele é uma identidade imaginária porque não é eterno. Ele não é nem mesmo consistente, pois muda de crenças e objetivos com muita facilidade. E, como qualquer ilusão, se fortalece quando confrontado diretamente. É por isso que é imprudente lutar contra si mesmo. O que você está combatendo é sua identidade imaginária. Corte a fonte de seu poder e o ego se desvanecerá. Essa fonte é sempre o nosso desejo de mantê-lo.

5. Toda a aflição está em um único local. Embora milhares de coisas aconteçam em um sonho, existe apenas um sonho. O que não se pode aprender também está presente no sonho. O que quer que esteja deprimido, triste, sofrendo, derrotado, temeroso, enganado e arrogante faz parte do sonho, porque a nossa identidade imaginária está dentro da parte da nossa mente que faz projeções.

É por isso que a solução é muito simples: acorde. Como? Decida-se por algum componente do estado de vigília – perdão, graça, felicidade, tolerância, bondade, delicadeza, amor, serenidade – e então, dependendo do grau de sinceridade de sua escolha, você libertará a parte adormecida da sua mente dos problemas que ela produziu.

Se você se concentrar em uma dificuldade, tirá-la de contexto e tentar solucioná-la, conseguirá eliminar essa ansiedade, mas continuará aflito. Se, enquanto estiver sonhando que um monstro o está perseguindo, alguém delicadamente sussurrar "Está na hora de levantar", você permanecerá adormecido se insistir em escapar do monstro antes. Não diga "Preciso mudar isso a meu respeito primeiro" porque aquilo com o que está lutando não faz parte de você. Em vez disso, diga "Preciso parar de sonhar e acordar para o meu ser".

O despertar requer apenas a disposição de praticar uma idéia espiritual. Não é necessário compreender conceitos espirituais, estudar exaustivamente trechos das escrituras ou comparecer a seminários. Se você simplesmente tratar as outras pessoas como gostaria de ser tratado, seu progresso espiritual será rápido e garantido.

6. Quando acordo de um sonho, compreendo que o que estava à minha volta não eram seres vivos ou inanimados; eram simplesmente seres imaginados. A minha mente tinha se dividido e, na realidade, eu não tinha interagido com nenhuma outra pessoa além de mim mesmo.

Em meus sonhos, o objetivo das pessoas era me convencer de que os acontecimentos funcionavam independentemente da minha vontade e que, portanto, eu não era responsável pelo comportamento dos outros, por seus pecados, prazeres ou sofrimentos. No meu sonho, eu pensava dentro de uma cabeça, vivia dentro de um corpo e presenciava, através dos olhos, fatos estranhos e não solicitados. Com exceção da minha própria proteção, eu não era responsável por nada. Eu era o único provedor da minha felicidade. Se eu não corresse atrás do que queria, ninguém iria fazer isso por mim.

No entanto, tudo isso era uma alucinação produzida pelo sonho. Eu estava sozinho em uma fantasia particular. Mas há um lugar onde não ficamos sozinhos, onde o que enxergamos reflete a verdade sem distorções porque ela não é vista como separada de nós. Na experiência com Deus, nada pode ser tocado, a não ser a vida. Não existem corpos com olhos que não vêem nem mentes desesperadas enjauladas dentro de crânios. A vida não se submete à carne e o sucesso não está reservado aos afortunados e escolhidos. Todos, sem exceção, são reconhecidos como únicos no abraço do amor.

Sobre essa verdade temos apenas alguns vislumbres. Mas quando removemos delicadamente o véu do medo, vemos um mundo cheio de contentamento. Todas as vezes que preferimos a paz ao pesadelo, acordamos com mais segurança e vivemos mais plenamente. Com Deus, não estamos sozinhos.

7. Se alguém lesse superficialmente o que foi dito até agora sobre os sonhos, poderia achar que essa abordagem nos faria tratar as outras pessoas de forma insensível. Afinal de contas, elas são como personagens em um sonho. Se considerássemos isso como verdade, de fato o resultado seria cruel – muitos caíram nessa armadilha.

O propósito de reconhecer qual parte da nossa experiência é ilusória é ver com mais clareza e reagir com mais vigor àquela que tem valor. Se atribuímos o mesmo peso à crítica e ao amor, não concedemos uma bênção verdadeira, pois no momento em que a oferecemos, involuntariamente a retiramos. Esse tipo de mensagem conflitante caracteriza a comunicação entre muitas pessoas. Acreditamos que podemos corrigir os outros sem deixá-los infelizes. Achamos que é possível ter razão sem sermos desagradáveis. Essa confusão surge de uma distinção inadequada entre sonhar e amar.

Não é que tenhamos que negligenciar algum aspecto das pessoas. É que para não ficarmos limitados à interpretação do ego, simplesmente acrescentamos afeto à nossa visão dos outros. Nós acordamos através do amor que sentimos pelos outros porque só com amor vemos o amor sem distorções. A indiferença e a arrogância não são visões. Um reflexo do amor pode ser visto em qualquer aspecto do mundo porque o que é verdadeiro jamais está ausente da parte da nossa mente que compartilhamos com Deus. O conteúdo espiritual da nossa mente está presente no mundo perceptivo, mas nem sempre reconhecemos isso.

Um vidro imperfeito pode parecer distorcer uma paisagem que é vista através dele. No entanto, o vidro não a altera. O medo é um vidro escuro e defeituoso. O que você é se não é um corpo? Onde é que você está se não está no aqui e no agora? Talvez essas perguntas o amedrontem. No entanto, todos os componentes da percepção do ego possuem uma cópia pura e bela. Todos os indivíduos possuem uma identidade. E para cada auto-imagem negativa, para cada motivo cruel ou equivocado, para cada convicção arrogante há um ponto de vista mais delicado pronto para tomar seu lugar e conceder a cura em troca.

Você não deseja acordar para uma vida mais tranqüila e feliz? Talvez você tema que a verdade não represente uma melhora na sua experiência atual. É provável que você deseje esperar um pouco mais para ver como uma pessoa em especial se sairá ou como um determinado fato se dará. Ou será que você teme perder o pouco que tem e até você mesmo? Talvez lhe pareça falta de sensibilidade voltar-se para a paz de Deus quando tantas pessoas no mundo estão sofrendo.

Um sonho nada mais é do que uma intenção arruinada. O mundo que vemos é como um espelho quebrado: o que ele reflete está incompleto e distorcido. O amor junta novamente as peças e presenteia nossa mente com uma imagem que representa com precisão um mundo restabelecido, o que alegra nosso coração. A maneira como isso é feito não é importante, mas é fundamental que queiramos que seja feito. "Será que desejo ver as outras pessoas incompletas ou inteiras?" "Quero ter razão ou que o mundo tenha paz?" "Será que ambiciono pequenas vantagens ou a total liberdade?" "Eu escolho o amor ou o medo?" Apenas a resposta do nosso coração a essas perguntas controla nosso momento de despertar, porque nada externo pode impedi-la.

Resumo

Você está adormecido. No entanto, Deus, o seu Ser superior, está acordado dentro de você e à sua volta. Até mesmo durante o sono você pode ouvir o que você é de verdade. Portanto, ouça Deus. Até sonhando você pode sentir o que é real. Portanto, acorde em Deus.

Comunicação

Nós não nos comunicamos: permitimos que haja comunicação. A paz abre amplos canais de compreensão e aceitação. Na realidade, a verdadeira comunicação significa um afastamento do esforço de "transmitir algo". Significa um momento de descanso das obrigações. Esse relaxamento nos permite estender nossos pensamentos até os das outras pessoas através de uma recepção simultânea da parte delas.

Qualquer auto-imagem mantida rigidamente na mente interfere nas relações. Um desejo de manipular contém o pensamento "Você é assim e eu quero que isso mude". Não podemos orquestrar o nosso desempenho e continuar a ver com clareza a quem estamos nos dirigindo. Declarações arrogantes, elogios calculados, palavras "bondosas" motivadas pela culpa, fofocas, pronunciamentos polêmicos, críticas "construtivas" e perguntas destinadas a acentuar o erro dos outros não constituem uma comunicação real porque não podem ser totalmente compartilhados.

Não aceitamos facilmente o ponto de vista de outra pessoa. Da melhor forma que pudermos, precisamos permitir que ao menos um ligeiro pensamento de igualdade envolva ambas as partes. Nós nos acomodamos no prazer e escolhemos a liberdade. No mínimo, reconhecemos que a outra pessoa não nos deve nada. A totalidade não faz exigências.

A reação do ego ao conflito verbal é nos fornecer elementos para termos razão rapidamente. Isso pode proporcionar uma sensação de poder temporária, mas apenas para um lado do relacionamento. Nenhum sentimento de união pode acompanhá-la, e o aparentemente maior "lado" do nosso ego parece ínfimo perante o universo com o qual estamos em desacordo. Se você sentir uma pequena pontada de ansiedade quando começar a falar, provavelmente você definiu o outro como algo desconectado do seu eu. Lembre-se de que o seu corpo não precisa expressar a desigualdade.

Dois egos jamais estão de pleno acordo. A promessa de uma permuta não é efetivada se adotamos arbitrariamente uma postura diferente. No entanto, se toda a vida emana do amor, há alguma coisa verdadeiramente contrária a nós?

Inquestionavelmente, existem muitos obstáculos e impasses, e são inúmeros os que se colocam no caminho do nosso bem-estar e felicidade. Mas o que pode se posicionar diante da luz se tudo é Luz? Temos que escolher entre acreditar na inocência ou continuar alimentando a culpa. As duas percepções da realidade não podem estar corretas.

A compreensão e a aceitação do amor estão em cada um de nós. Há sempre uma maneira de compreender isso, uma forma de acreditar que, se pudéssemos ver os outros através dos olhos de Deus, nos reconheceríamos neles. Unidade significa distinguir o que é familiar em outra pessoa. Nosso objetivo é bem simples: buscar no diálogo uma experiência, não apenas uma troca intelectual. Queremos dar e receber alegria e compreensão. A forma verbal que escolhemos para fazer isso é irrelevante.

Corrigir repetidamente os outros significa insistir que, naquele momento, as falhas deles resumem tudo o que eles são. O Universo não possui erros, e teimarmos sobre sua existência apenas nos deprime. Silenciosamente, nos unimos ao espírito daquele que está diante de nós, que representa uma parte de Deus e, portanto, do nosso próprio Ser. Esperamos pela eterna comunicação que está sempre ocorrendo em nossa consciência, sabendo que ela vai se tornar perceptível assim que encontrarmos um local tranqüilo dentro de nós onde ela poderá ser ouvida.

Uma abordagem útil à comunicação é parecida com uma atitude prática que tomamos em relação à maioria das situações: a serenidade funciona; a agressividade, não. Se você estivesse rezando e um pensamento de raiva cruzasse sua mente, você não retardaria sua comunhão com Deus para analisá-lo ou refutá-lo. Você simplesmente se abriria e retornaria à sua prece rapidamente. Quando estamos com outra pessoa, estamos em um estado potencial de oração com Deus. É por isso que não podemos ocultar os pensamentos de nós mesmos e continuar totalmente conectados àqueles que nos cercam. Isso não significa que estamos sendo "honestos" com o incessante fluxo de pensamentos e atitudes desagradáveis do nosso ego, e sim que estamos sendo honestos com o *relacionamento*. Amigos sabem o que dizer e o que não dizer para o outro.

Você provavelmente já ouviu a descrição de uma pessoa e, quando a conheceu, constatou que a descrição não se encaixava. As percepções baseiam-se em estados de espírito, e todos nós já fomos vistos do ponto de vista de outra pessoa. Embora possamos ter mudado, ela continua a nos enxergar como éramos ou como sempre acharam que fôssemos.

Nós acreditamos no que queremos acreditar, mas também vemos aquilo em que acreditamos. Isso funciona no nível do desejo. Temos liberdade para crer no que está ocorrendo realmente ou para fazer uma outra interpretação. No entanto, assim que essa escolha é feita, a visualização do nosso desejo é quase automática.

Quando a mente parece estar engajada em desejos frívolos, na realidade ela está exercitando um conjunto de crenças específicas. Isso se torna a nossa silenciosa declaração de como queremos que as nossas vidas sejam. Por exemplo, podemos imaginar diálogos que nos dêem a sensação de que estamos corretos. "Estar com a razão" é o presente que o ego nos oferece para trocarmos a confiança pela desconfiança, a unidade pela separação. Mas, durante essa troca, nos afastamos de Deus e do nosso Ser.

Uma maneira de lidar com essa utilização equivocada da mente é perguntar: "Em que eu quero *acreditar* sobre meus atuais relacionamentos?" Nós vivenciamos aquilo em que acreditamos. Será que queremos uma vida de conflitos? Será que queremos novas oportunidades para uma defesa pessoal? Nossa seleção de repetição de incidentes passados e nossos futuros imaginados confirmam que sim. Quando reconhecemos que escolhemos errado, escolhemos novamente. Dessa vez, libertamos os outros de seus papéis de vilões e nos livramos do papel de vítima. Podemos fazer essa mesma escolha num conflito atual. Simplesmente saímos da defensiva. Conscientes de que apenas Deus define o papel de cada um, paramos de apontar os motivos e as obrigações dos outros. Em vez disso, permitimos que uma bênção caia sobre tudo o que vemos e ouvimos. E aguardamos, com amor, que um novo nível de diálogo seja concedido.

Se percebemos que um determinado relacionamento é problemático, nossa primeira atitude deve ser modificar as regras que estabelecemos para ele. A maneira como determinamos as coisas precisa ser abandonada antes que possamos ver as partes arrumadas de modo diferente. A forma como classificamos os outros nos impede de encontrar uma solução para as dificuldades existentes entre nós. Por isso desistimos de nossas convicções e reconhecemos que seria melhor se estivéssemos errados. Quando nos voltamos para Deus, admitimos que somos inábeis para instruir a nós mesmos sobre como reagir a essa pessoa, e então ouvimos a delicada resposta do amor. Sempre ouviremos a resposta se ficarmos tão serenos quanto ela.

A regra para uma comunicação bem-sucedida é tentar compartilhar apenas idéias que possam ser recebidas com tranqüilidade pelas pessoas. Tão logo reconhecemos que não conseguiremos nada tentando corrigir os outros, muitas vezes nosso ego adota uma nova postura: "Estou disposto a perdoá-los, mas eles continuam a julgar tudo o que *eu* faço." A idéia é que, após perceber nossa intenção, a outra pessoa faça a mesma coisa.

Jamais receberemos total cooperação externa porque, para vermos uma pessoa como algo externo, precisamos acreditar que os interesses dela não podem ser iguais aos nossos. A solução é parar de combater essa aparência, não importa que forma ela assuma, e mentalmente procurar o Ser mais profundo dentro dela. Se dentro de nós há um lugar de serenidade, esse lugar também existe nos outros. O amor reconhece aquilo que lhe pertence. Ele percebe os interesses em comum porque enxerga além do comportamento, além das histórias pessoais passadas e dentro de nossos impulsos genuínos de nos unir aos outros. Mesmo que não haja uma mudança visível no relacionamento, nós silenciosamente evocamos a presença do amor dentro da outra pessoa. Um dia ela responderá ao nosso chamado.

O brilho de Deus existe de fato. É a luz deixada acesa para nós na escuridão. É a recepção de boas-vindas no nosso lar. Há um Amigo em todos os nossos amigos. Essa é a certeza que procuramos. Nós nos enganamos todas as vezes que nos concentramos apenas na melhora da situação externa. Não procure nenhuma certeza, exceto a da presença de Deus. Ela é sempre recebida com serenidade. Ela vem com o nosso desejo de paz, está contida no pensamento e é estendida a todos. Estamos engajados na reconstrução. A nossa visão foi destruída, mas não a nossa unidade. Cada pessoa que encontramos parece possuir uma parte perdida de nós. Essa parte se incorpora a nós no instante em que é reconhecida. E o amor é a maneira de compreender isso.

ÁREAS ESPECIAIS DE PRÁTICA

DINHEIRO

A nossa situação financeira e o nosso sustento são assuntos que freqüentemente mantemos separados da fé, como se o amor não devesse ser consultado sobre tais assuntos mundanos. Em conseqüência, muitas vezes eles geram ansiedade e conflito em nossas vidas. Qualquer coisa que nos faça sentir mais isolados e vulneráveis gera medo e, quando agimos por medo, ele se concretiza.

Não podemos nos prender a uma sensação de autodomínio e autocontrole e continuar com a mente aberta, feliz e cordial. Tampouco podemos simplesmente passar o controle para outra pessoa e conquistar a liberdade nos eximindo de responsabilidade. Somos responsáveis por tudo porque tudo pode ser um ato de adoração.

Ou confiamos nossas necessidades a Deus ou não. Deus não é confiável *às vezes*. A confiabilidade inconstante não tem sentido. Primeiro decidir o que queremos e depois nos voltarmos para Deus como meio de obtê-lo é uma atitude arrogante e sem sentido. Somente Nele reconhecemos nossa verdadeira necessidade e sua resposta. Somos orientados por Ele em todas as coisas, mas não podemos usá-Lo para diminuir a ansiedade quando nossa fé é hesitante.

Deus pode planejar a nossa felicidade e nos fornecer segurança. Mas será que temos essa mesma habilidade? O amor é nosso alimento e abrigo, e não apenas o meio de obtê-los. Nesse reconhecimento, todas as necessidades temporárias são encontradas. Procurarmos segurança acumulando mais dinheiro e bens materiais ou sentirmos orgulho por termos pouco nos mantêm presos ao inútil processo de trocar um vazio por outro.

A quantidade de coisas que possuímos ou o número de anos que vivemos não representam nosso progresso espiritual, assim como a escassez ou a imprudência não acrescentam significado e importância ao corpo que as vivencia. Somente através da renúncia à nossa pequena e lamentável autoridade acordaremos no amor e conheceremos a liberdade que vem da confiança.

Podemos afirmar sobre o dinheiro:

- Jamais deveríamos negar ajuda a uma pessoa porque ela não pode retribuir.

- Precisamos nos mostrar tão abertos a dar dinheiro quanto a recebê-lo.

- Não deveríamos gastar dinheiro por medo nem transformar o hábito de economizar numa prioridade. Nosso objetivo é sermos orientados pelo amor.

- Deus não pode ser "importunado" por qualquer coisa. No entanto, acreditar que Ele nos recompensa com dinheiro por termos bons pensamentos decididamente não é uma forma de rendição ou de adoração.

- Largar nosso trabalho não é um ato de fé. Ter que pedir emprestado ou viver às custas dos outros não são atitudes mais nobres do que trabalhar. Nosso emprego pode ser tão sagrado quanto queremos que ele seja. A fé é exercitada internamente, e não no gesto ou na aparência exterior.

- Não deveríamos buscar nem a riqueza nem a pobreza para melhorar a nossa auto-imagem. Todas as auto-imagens pertencem ao ego.

- Ganhar dinheiro jamais deveria ser a nossa prioridade. Essa meta limitada não nos cura nem nos faz felizes. Ao transformarmos a conexão com o Divino em nosso objetivo, descobrimos como é seguro deixar o futuro nas mãos de Deus.

Sexo

O profundo desejo que às vezes sentimos por um relacionamento físico traz dentro de si um anseio que é mais profundo ainda. Paixão significa ânsia, mas a ânsia não conduz à paz. Não há nada de errado com o desejo, mas ele obviamente não reflete a tranqüila sensação de totalidade. Se achamos que somos incompletos, o impulso para obter o que nos falta reflete nossa profunda sede de tudo. Podemos almejar o reino de Deus, apesar de já o termos. Embora possamos erroneamente interpretar um impulso espiritual como sendo físico, esse engano não é um pecado.

A necessidade de sexo e os meios que utilizamos para satisfazê-la são coisas diferentes. No entanto, Deus pode nos mostrar uma utilidade nova para cada meio que empregamos. Não nos pedem para valorizar o corpo, e sim para vermos nele maneiras de alcançar a felicidade.

A forma como encaramos o sexo pode exigir privação de nossa parte ou sacrifício de outra pessoa, mas isso não é necessário. O desejo de possuir aquilo que achamos que não temos nos faz sentir incompletos. Por isso, em nossos corações e em nossos corpos, precisamos desejar apenas o que já temos, que é uma generosidade infinita.

Em geral, tendemos a tratar o corpo como algo independente da mente. Isso faz parecer que, às vezes, os objetivos do corpo conflitam com os da mente. A mente pode combater os impulsos e os desejos do corpo com pouco ou nenhum resultado, exceto a perda de controle e o sentimento de culpa. A solução para esse conflito é se afastar, e não achar que uma mente dividida pode triunfar. Uma mente em paz estende a paz ao corpo. Uma mente fundamentada em Deus será conciliadora e as ações do corpo serão afáveis – com ele mesmo e com os outros.

Em termos filosóficos, ninguém deveria tentar eliminar uma prática que tenha se tornado comum em um relacionamento. Por exemplo, uma pessoa não deveria insistir na abstinência sexual sob a premissa de que a privação é um meio de elevação espiritual.

Por outro lado, uma pessoa não deveria pressionar outra a fazer sexo ou a experimentar práticas sexuais diferentes. Assim como a aceitação é a chave para a preservação do amor, a pressão geralmente é a principal causa do fracasso nos relacionamentos. A freqüência com que duas pessoas fazem sexo não serve para medir a força de seu relacionamento.

A mera ação do corpo não constitui o que é espiritual. Lutar contra um comportamento com o qual nos identificamos não diminui a identificação. Na realidade, isso tende a restringir nosso foco e limita nossa vida a prazeres inadequados e alegrias passageiras. Somente a Luz fornece luz. Não podemos produzi-la sozinhos porque ela representa o reconhecimento de que não estamos sós.

O desejo por outros corpos fundamenta-se na convicção de que estamos sozinhos e que não somos uma extensão do amor. Seja gentil consigo mesmo porque a delicadeza vem de Deus. Com essa atitude de bondade e generosidade, o amor chegará a você e o afastará de problemas sexuais e de milhares de outros obstáculos, tudo no mesmo instante.

Filhos

Cada estágio de desenvolvimento de nossos filhos representa mais uma oportunidade para nos relacionarmos com a parte deles que não mudará. Apenas o que é eterno permite nos relacionarmos, nos comunicarmos e nos unirmos.

O ego argumenta que cada filho requer uma diferente definição de nós mesmos como pais. Se nos ajustarmos através de uma simples mudança de auto-imagem, veremos nossos interesses como diferentes dos de nossos filhos, e perceberemos vontades e emoções conflitantes sobre tempo e propriedade.

No relacionamento com os filhos, nosso objetivo continua sendo entrar na região de paz que se encontra além dos sentidos. Apenas isso traz a serenidade necessária para tomar decisões tranqüilas.

Sempre que possível, a reação inicial a um comportamento inesperado de uma criança deve ser de calma e franqueza. Faça isso apenas por um instante. Essa prática remodela a mente. As antigas reações de raiva e medo são abandonadas em favor da conexão. Uma mente tranqüila e afetuosa não se sentirá perdida nem será cruel.

Tanto para nós quanto para nossos filhos, o caminho para o Lar está na sedução por meio do encantamento. Essa é uma trajetória de recompensas que conduz à recompensa final. A experiência do Paraíso começa com um "sim". O "não" apenas assinala o lugar onde a felicidade não pode ser encontrada. O "não" é um recurso temporário e às vezes necessário, mas não é a rota adequada para nos fazer progredir em segurança. Quando nossos filhos compreendem que estamos dizendo "não" e que nós mesmos o compreendemos e vivenciamos, eles o aceitam como a sua própria resposta.

O "não" não é propriamente um aviso da nossa intenção de atacar. Ele é um anteparo firme, seguro e sólido contra algo que ferirá alguém que raciocine como uma criança. Como pais, permitimos que nossos filhos se levantem contra ele até que possam, sozinhos, perceber que o anteparo não se moverá. No entanto, eles também precisam perceber que *nós* não somos aquilo que os machucará. Por isso não é necessário, para mudar as atitudes deles, intensificar os fatores que eles temem.

Nosso objetivo como pais não é modificar o comportamento, mas aprofundar nossa conexão. Não sabemos o que nossos filhos se tornarão ou devem se tornar. Eles pertencem a Deus e seus destinos estão nas mãos Dele. Nós os honramos e respeitamos como seus guardiões sagrados. Cuidamos do jardim do Paraíso, mas não sabemos quais sementes foram plantadas lá.

Não estamos contra nossos filhos e, portanto, jamais lhes ensinaremos a ter medo usando de intimidações, repreensões, humilhações ou qualquer outra forma de recusar amor. Transmitimos segurança através da inocuidade. Como poderia qualquer coisa estar segura senão pelo amor?

Nós, pais, somos consistentes na ligação com nossos filhos. Não existe virtude ou praticidade na consistência das regras que estipulamos em algum momento do passado. Nosso filho é o presente; a sabedoria de Deus está no presente; e a nossa capacidade de entendê-lo e de saber o que precisa ser feito também está no presente.

Às vezes, a nossa consistência parece assumir a forma de preservação de nossos filhos. Essa abordagem representa um progresso sobre a raiva, mas ficará melhor ainda se pudermos transformar a resistência em uma delicada e inabalável paciência. Como pais afetuosos, ficamos contentes em esperar, em permanecer firmes e confiáveis até nossos filhos mudarem de idéia, se for necessário. O nosso "não" é um abrigo seguro, uma maneira de protegê-los.

Jamais deixe a pergunta se tornar "O que fazer se meu filho me desafiar?". Nosso papel como pais não é defender nosso orgulho. Isso apenas transmite arrogância. Também não é manifestar aversão ou reprovação. Tesouras, facas, fósforos e outros objetos que crianças pequenas não compreendem precisam ser recolhidos apesar de elas esbravejarem a sua incompreensão do nosso objetivo. As crianças mais velhas não precisam ser castigadas para "pagar" pelo que fizeram. O castigo não é um aspecto do amor. Não precisamos de mais instrumentos para orientar nossos filhos do que Deus precisa para nos orientar.

É mais fácil para as crianças pequenas entenderem um simples "Faça isso" do que explicações abstratas sobre o que elas não deveriam fazer para não correr riscos. Ensine como encarar as coisas, não como evitá-las. Ensine o amor, não o medo. Ensine a simplicidade e a exatidão. Deixe os seus pensamentos e ações se encaixarem no que o seu filho é, e não aja por medo do que ele possa vir a ser. Mostre a ele a imutável fonte de recompensas em vez de uma centena de imagens ilusórias.

Pelo seu modo de vida, transmita uma instrução que jamais deixará de guiá-lo com segurança e felicidade. Não ensinamos ou aprendemos palavras; transmitimos uma experiência. Portanto, cubra seus filhos com generosidade, liberdade, bom senso e serenidade até você finalmente enxergar os interesses deles como seus, os seus como deles e o amor como o Pai de todos nós.

CASAMENTO

A cerimônia de casamento simboliza um estado preexistente. A unidade é reconhecida, não inventada. Esse estado não pode ser destruído, mas pode ser esquecido. A cerimônia em si é um símbolo muito antigo que celebra o feliz e eterno acontecimento da união. No casamento, aqueles que se tornam um reconhecem a sua unidade.

A realidade espiritual do casamento não precisa ser cultivada. Na verdade, ela precisa apenas continuar sem oferecer resistência. Pela nossa percepção, no entanto, aquilo que essa união simboliza necessita ser protegido, alimentado e cuidado. De certo modo, Deus nos dá um belo jardim, mas nós gostamos de plantar ervas daninhas.

Nosso "trabalho" é permanecer abertos para todas as evidências aparentemente dispersas da unidade. É conservar o jardim intacto e agradável. Podemos distorcer a percepção que temos de sua beleza, mas ela se mantém pura. Da mesma maneira, jamais podemos nos separar realmente de outro filho de Deus.

Talvez os relacionamentos sejam os meios mais acessíveis para vivenciarmos o Divino. Deus é amado e reverenciado por meio de Seus filhos. Os momentos em que oramos e meditamos deveriam ser as nossas melhores oportunidades de conversar com Ele. No entanto, se essas ocasiões estiverem associadas ao isolamento físico ou forem meros exercícios de superioridade, não conseguiremos experimentar nossa profunda ligação com os outros. Algumas pessoas não percebem que a função do casamento é pôr de lado o isolamento e a desigualdade e regozijar-se na alegria de ser apenas um.

No momento em que a luz da verdade começa a se manifestar no pensamento, podemos enxergar as pessoas como nós mesmos. Isso não faz sentido no nível perceptivo, mas, no nível do amor, faz perfeitamente. Não existem limites para nossas orações porque descobrimos que não perdemos nada com o ganho do outro.

No entanto, o nível no qual os egos duelam pode ser deprimente e assustador. Quando isso é visto de forma honesta, o casamento pode parecer desolador. Para aqueles que tentam despertar no amor, isso é muito angustiante e pode ser erroneamente interpretado como um fracasso pessoal.

Há dois passos para ver a luz dentro de nosso parceiro. O sombrio precisa ser visto como sem luz ou valor, e a luz precisa ser vista como inocente e desejável. Nenhuma negociação é possível porque conformar-se com qualquer forma de abuso ou ignorância significa querer outra experiência que não o amor. Os casais que colocam os problemas acima da amizade entre os dois deixam imediatamente de ver a luz da unidade.

Se o conflito é valorizado, o amor parece ser um componente instável do relacionamento. Em suas relações, não nutra nenhum pensamento que não seja o desejo de aumentar a amizade entre vocês. Pergunte a si mesmo: "Será que essas palavras (ou esse ato, essa atitude, essa postura) vão promover a união ou a separação?"

Somente através da conexão você pode permanecer aberto à cura e, se não estiver aberto, você *tentará* ferir seu parceiro para proteger o que você acredita que deva permanecer secreto. Portanto, não separe nenhuma parte de você. Não cultive avaliações particulares. Seja transparente e inofensivo. Se esse continuar sendo o seu objetivo, vocês dois poderão dar as mãos e superar qualquer dificuldade.

A sinceridade é uma função do coração, não da boca. Falar sem pensar ou confessar algo que sabemos que irá magoar quem amamos não significa lealdade ou amor, muito menos bondade. Se quisermos conhecer o amor infinito, não pode haver limites para nossa entrega. Querer algo de alguém significa desconhecer por completo o seu papel na nossa felicidade. A outra pessoa é a nossa oportunidade de estender o que nós *somos*.

Outros corpos não são meros meios para provar que estamos incompletos, angustiados ou carentes. É por isso que as tentativas de negociar às vezes dificultam a comunicação e o relacionamento. Entrar em acordo é melhor do que insistir no desentendimento, mas é uma ajuda temporária. Se apenas um dos parceiros realmente perdoar e substituir a angústia e as críticas pela boa vontade, essa atitude se torna o fator preponderante no relacionamento.

Obviamente, conversar e encontrar uma solução comum para os conflitos é desejável. Mas não é necessário pressionar o parceiro a conversar sobre algo que julgamos estar errado no casamento. Não é necessário forçar o outro a assumir responsabilidades ou confessar seus erros. Também não é necessário impor acordos ou até mesmo criar regras rígidas para lidar com um problema freqüente. Nada é realmente necessário, exceto lembrar que não estamos num relacionamento por acaso e que tudo o que ocorre *pode* ser visto sob a perspectiva do amor.

Essa visão ocorre quando recordamos a gratidão que sentimos pelo papel crucial que o parceiro desempenha em nosso crescimento espiritual – não importa se essa é a intenção dele ou não.

Como todas as mentes se comunicam, um pensamento feliz, clemente e tranqüilo se estenderá, por si só, a todas as áreas do relacionamento. Não existe nada que possa impedir essa expansão. Assumir a responsabilidade por tudo e libertar-se da culpa constituem a verdadeira humildade e o caminho certo para um casamento bem-sucedido.

Cura

A doença muitas vezes nos faz sentir sozinhos e vulneráveis. A mente, que deveria ser uma fonte de conforto e alívio, se agarra ao medo e ao conflito. Uma doença, principalmente quando é grave, pode nos fazer acreditar que falhamos de alguma maneira ou que estamos sendo castigados. Talvez pensemos: "Por que essa enfermidade me escolheu entre tantos outros que a merecem muito mais do que eu?"

Todavia, a doença jamais é motivo para autocensura ou vergonha, assim como uma saúde "boa" não é nenhuma proeza. Em um mundo de doenças, quem pode evitar adoecer?

Só ficamos verdadeiramente saudáveis quando deixamos nossas mentes voltarem a enxergar com ingenuidade e serenidade. A cura, portanto, é totalmente natural.

Como a doença é inevitável, o máximo a que podemos aspirar é permanecer saudáveis por períodos mais longos do que o "normal". Todas as coisas vivem à custa da morte de alguma outra coisa; esse é o sistema do mundo. E se a doença for definida como sofrimento e limitação física, todos estão doentes a maior parte do tempo. Esse pode ser um reconhecimento libertador para uma batalha inútil que não precisa ser travada.

Entretanto, também é possível examinar qualquer dificuldade e reconhecer que ela não contém nada que queremos. Se percebemos isso com clareza, quase sempre ocorre a cura física. Mas se não alcançarmos esse grau de honestidade no momento devido, existem maneiras de fabricar dentro de nós um maior amor à liberdade.

A doença costuma produzir medo, portanto libertar a mente dos temores é retornar à única saúde verdadeira que podemos ter neste mundo. Seguir uma rígida conduta de renúncia à medicina e a qualquer outro meio exterior de cura muitas vezes aumenta o medo em vez de reduzi-lo. Tal decisão não deveria ser tomada sem a ajuda da orientação interna. Nesse momento, a paz de Deus é um consultor melhor do que antigas lembranças que talvez tenhamos superado. O amor é sempre uma ajuda *presente* durante períodos difíceis e não fornece um manual sobre como tratar uma doença "corretamente".

Assim como a morte não é uma derrota, um corpo que recupera a saúde não representa superioridade espiritual. Uma mudança física positiva que não vem acompanhada de uma libertação do medo possui pouco valor espiritual. Ela não é boa nem ruim. O amor é o único milagre e a nossa tarefa é confiar na maneira pela qual ele se manifesta em nossa vida.

IMAGENS CURATIVAS

Quando nos voltamos para Deus em busca de orientação, protegemos nossa mente da auto-ilusão. É importante não ter preconceitos. Conheço indivíduos que foram curados através da medicina tradicional, de visualizações, correção de postura, cores, fragrâncias, exercícios respiratórios, plantas medicinais, sons, placebos, dietas e exercícios. Abra seu coração, deixe Deus lhe dizer o que fazer agora e confie na resposta.

A entrega

Entregar nossos problemas nas mãos de Deus traz a cura porque a mente não pode manifestar ou projetar aquilo que não detém.

Imagine seu corpo como um instrumento de ensino. Ele se parece com uma tela na qual seus pensamentos são projetados. Se você não conseguiu perdoar a si mesmo ou outra pessoa, essa agressão será simbolicamente manifestada em algum tipo de sofrimento físico. Afaste-se de seu corpo e finja atacá-lo de maneira que produza angústia. Talvez assim você consiga perceber o motivo da sua raiva com mais clareza. A raiva não é uma aliada nem uma forma de humildade. Agora afaste-se novamente. Dessa vez você é a luz de Deus que abençoa e purifica. Com delicadeza, dissipe toda dor e tensão em sua mente e em seu corpo. Esse é o papel que você deve desempenhar. Ao tentar isso, você abençoa o que Deus pediu que você abençoasse e deixa as conseqüências para o amor.

A serenidade

A serenidade cura porque somente uma mente volúvel gera medo e angústia. A serenidade não é a ausência de som, mas a presença da paz.

Nada é mais importante do que a paz e, por isso, você pode espalhar essa profunda quietude da presença de Deus em todos os pontos de dor ou de ódio. Sinta esse bálsamo remover por completo aquilo que jamais tocou de fato o filho de Deus feito de amor.

Estenda um cobertor confeccionado com a tranqüilidade de Deus sobre todas as formas de medo. Observe as áreas traumatizadas relaxarem e se curarem sob o macio e luminoso manto divino.

Derrame um óleo cicatrizante sobre as partes danificadas de seu corpo. Deixe-o espalhar-se como o silêncio e lhe cobrir como um presente de generosidade.

Veja um adorável pára-quedas branco descendo do Paraíso. Ele traz uma caixa prateada onde está escrito com tinta celestial: "A Glória de Deus". Pegue um pincel e mergulhe-o no deslumbrante líquido dourado dentro da caixa. Delicadamente espalhe-o sobre cada dificuldade até que todos os cantos da sua mente e do seu corpo relaxem em paz.

A bênção

Conceder nossa bênção cura porque sempre somos capazes de dar o que recebemos. Podemos abençoar nossos corpos, que representam nossas atuais concepções de nós mesmos, com muito mais facilidade do que amaldiçoá-los ou temê-los.

Tanto a cor quanto a música são antigos meios de cura. Visualize seus ferimentos e doenças com o som ou a cor de que você menos gosta. Use sua cor ou música preferida para mudar o tom atual pela harmonia. Por exemplo, imagine o cinza transformando-se em azul ou o som de uma buzina transformando-se em jazz. Enquanto essa mudança ocorre, observe a completa cura acompanhando-a.

Um anjo de Deus lhe entregou uma lanterna. Direcione a forte luz da graça divina para qualquer lugar onde você veja sombras ou imagens assustadoras. Enquanto o brilho do amor focaliza o ponto com problemas, note que, lá, seu corpo é recuperado.

Imagine que você está segurando um objeto sagrado em suas mãos. Encoste-o em cada ponto de dor ou de deterioração em seu corpo e veja esse ponto curar-se instantaneamente.

Desenhe um círculo de luz ao seu redor. Preencha todas as sombras e todos os espaços vazios com o mesmo brilho. Agora veja que *você* é a luz desse círculo. A seguir, faça o mesmo desenho ao redor do mundo e reconheça que você também é a luz do mundo. Sinta seu brilho formando um arco acima de você e o esplendor da sua beleza refletindo em tudo. Descanse nessa visão por um longo e restaurador momento. A verdade não deixa que nenhuma dor permaneça em alguém.

Entrando no lar de Deus

O seu lar é o mesmo de Deus, e no lar de Deus não existe dor.

Viaje para um local onde você adoraria estar – qualquer lugar que você queira imaginar. Sinta seus perfumes e ouça seus delicados sons. Deixe todas as formas de medo para trás e, por alguns segundos, observe apenas os lugares que lhe agradam. Nesse momento você encontra seu Guardião. Essa visão feliz lhe é muito familiar, pois você o conhecia bem quando era criança. Ele está, mais uma vez, respondendo ao seu chamado e trazendo a cura que você solicitou. A mão do amor é delicadamente colocada no local que você aponta. Ela cura o que quer que o esteja incomodando lá. Tudo o que o Guardião deseja é lhe trazer alívio, porque a sua plenitude abençoa o mundo.

O perdão

O significado básico da palavra *perdão* é libertar, devolver e deixar para trás. O perdão cura porque permite que todas as formas de agressão e injúria saiam do pensamento. Esse processo pode ser visualizado em silêncio ou verbalizado.

Como Deus quer que você seja feliz, você não pode dar a Ele melhor presente do que uma de suas tristezas. Imagine-o esperando pacientemente por seu pedido de ajuda. Sempre que você perceber qualquer coisa física ou emocionalmente angustiante, embrulhe-a como um presente e entregue-a a Deus. Observe enquanto o amor o aceita e o leva embora. Sinta o profundo agradecimento do Divino por você ter permitido que seu fardo fosse aliviado.

Sopre suas dores, seus receios e todas as suas preocupações para dentro de um balão ou uma enorme bola de chiclete. Quando ele estiver cheio e flutuando, solte-o no ar e sinta todos os seus aborrecimentos e sofrimentos serem transportados para bem longe.

Entre no suave fluxo de um rio sagrado e deixe as águas cicatrizantes banharem você e dissolverem qualquer coisa que o esteja angustiando. Veja como você reflete o objeto de um amor infinito. Se preferir uma cachoeira, visualize uma diante de você agora, esplendorosa em sua beleza. Ela jorra como o amor do coração de

Deus. Fique um pouco sob sua delicada cascata e deixe suas preocupações e temores serem levados pelas águas. Cada menor aspecto de você está limpo e cicatrizado e você emerge totalmente novo, resplandecente em sua benevolência para com os outros.

Resumo

A mudança de corpo não deve se tornar um objetivo que substitui a cura. A cura nada mais é do que a paz, e ela ocorre integralmente dentro da mente. As sugestões apresentadas até aqui servem apenas para trazer luz à sua mente. Uma abordagem tranqüilizadora e confortável à mudança mental se reflete igualmente em seu corpo, em seus relacionamentos e em todos os aspectos da sua vida. Deixe sua imaginação alegre e livre de conflitos. Você não precisa combater nada. Você *é* o Amor. Visualize o que o relaxa e ouça apenas o que lhe traz satisfação. Cante para sua mente uma canção tranqüila que transforma cada traço de tristeza que você identifica. Faça os seus pensamentos dançarem ao som dessa música e não permita mais lamentações.

Honestidade

Para o ego, parece haver um conflito entre a intenção de ser inofensivo e o objetivo de ser honesto. No entanto, a honestidade não fica completa enquanto certos conteúdos da mente são enfatizados. Uma mente tranqüila está em paz com todas as suas partes. A delicadeza responde a tudo igualmente porque responde a tudo por inteiro. Não temer a exposição significa tornar-se inofensivo.

Esqueça o que você julgou ser necessário e se permita dizer o que você diz. Como ter certeza do resultado de suas palavras? Portanto, esqueça as palavras e simplesmente deseje o bem. Se o mundo fizesse apenas isso – não esconder nada – haveria uma paz eterna entre as pessoas.

É um alívio estar aberto. No entanto, esse alívio não é obtido através da tentativa de tornar nosso comportamento tão perfeito que nada mais possa nos constranger. O constrangimento não é importante. Enquanto conservarmos um ego, ele atacará nossos motivos e condenará o corpo que os causou. Há pouco amor verdadeiro e, por isso, nenhuma liberdade dentro de um ego. Apenas não escondendo nada de Deus e de nós mesmos é que conseguimos abandonar o ego, pois ele nada mais é do que o nosso desejo de permanecer ocultos e isolados.

Não oculte nada de si mesmo e você não atacará. Estar aberto não significa ter a necessidade de ensaiar o que deverá ser dito ou feito, já que nossas palavras não irão magoar, humilhar ou intimidar. A sinceridade automatiza a empatia, e honestidade é apenas outro nome para generosidade. As pessoas verdadeiramente abertas não expressam todos os pensamentos negativos que seus egos produzem. A honestidade genuína vem do coração que compartilhamos com Deus.

No início, pode não parecer que o desejo de analisar os motivos dos outros e de atribuir-lhes responsabilidades é uma atitude desonesta e secreta. No entanto, isto deveria ser óbvio: o amor está sendo ocultado e evitado. Todas as formas de escuridão são meros vestígios de sentimentos. Elas não contêm nada que não possa ser entregue a Deus. A honestidade é a chegada da verdade, que dissipa sem esforço e sem agressão aquilo que não é real. A verdade, independentemente da forma que ela assuma, é sua amiga. Confie nela. Abra-se a Deus; abra-se a si mesmo; e, através dessa passagem desobstruída, a generosidade do amor será concedida e recebida.

Desapego

O agora ganha credibilidade enquanto caminhamos em sua direção. Cada vez mais, ele penetra na consciência e, pouco a pouco, passamos a confiar nele como confiaríamos em um amigo de indiscutível lealdade. Sempre que o preferimos em detrimento da distração, o mundo perceptivo se esvanece por um instante e tudo o que podíamos almejar parece estar ao alcance de nossas mãos. No entanto, quando examinamos tudo o que precisa ser feito, não conseguimos evitar a sensação de derrota antes mesmo de começar. Como podemos usar o corpo de maneira inocente todo o tempo? Como olhar os outros sem ficar lembrando suas ações passadas e sem manter restrições a eles? Como libertar nossa mente do medo? Como parar de avaliar os outros só por suas qualidades? A resposta é que não conseguiremos alcançar qualquer um desses objetivos nos próximos dias. Perdoar outra pessoa o tempo todo parece impossível, mas perdoá-la por apenas um instante – este instante – é perfeitamente possível. Todas as vezes que libertamos a mente de uma seqüência de pensamentos condenatórios e permitimos que ela retorne à benevolência, estamos praticando o pleno perdão. Parar de julgar significa absolver da culpa. Todos nós podemos direcionar nossos pensamentos para o amor por um momento. É verdade que, no momento seguinte, podemos ceder à tentação mais uma vez, mas isso não terá importância, pois ele não será de fato o momento "seguinte". Ele continuará sempre sendo o agora, e o agora permanecerá como a lição que estamos aprendendo. "Estarei disposto a amar, perdoar, abençoar e a curar por apenas um instante?" é uma pergunta que se dirige à realidade. "Como serei capaz de fazer isso amanhã?" é a pergunta de uma pessoa que não está aqui, num tempo que não é o agora. Em vez disso, diga: "Eu estou aqui. Sou apenas o agora. Deus é tudo o que está acontecendo. Deixo para trás tudo o que nunca foi e o que jamais poderá ser."

Uma bênção

Você permanece junto à Fonte olhando para fora. Você é abençoado e pode estender uma bênção infinita. Feche os olhos e imagine essa alegre cena de cura. Você é um riacho que começou a escorrer em um leito antigo e seco. Você conduz a água fresca para uma terra ressecada e árida. No seu rastro, sementes brotam e florescem. Com a sua chegada, a terra volta à vida. A partir deste momento, você pode oferecer um copo de água fresca a todas as pessoas que encontrar ou imaginar, àquelas que ainda vão chegar e àquelas que estiveram aqui e partiram. Você vai oferecê-lo por prazer e não pedir nada em troca. Você não precisa pregar ou influenciar, não precisa ignorar ou desdenhar. Você pode despreocupadamente oferecer tudo o que lhe pertence para aproveitar mais da fonte da qual você faz parte. Você oferece uma escolha simples, uma alternativa ao cinismo e ao desespero. E porque você está em Deus, vê todas as coisas banhadas na luz Dele. Nada do que está à sua frente merece sofrer. Ninguém é indigno de ajuda. Você estende a luz do amor a uma terra que se volta para recebê-la. Você permanece em Deus e no Amor. Oferece luz para dissipar as sombras frias do medo. Você doa, não manipula nem força. Você sente a gratidão do amor derramar-se de seu peito em todos os que aceitam o presente de Deus. Decida permanecer constante nessa sua doação como fonte, até chegar a ocasião em que todos os seres vivos irão despertar para a inocência e encontrar um lar.

CONHEÇA OUTROS TÍTULOS DO AUTOR

NÃO LEVE A VIDA TÃO A SÉRIO

A vida não precisa ser tão complicada quanto insistimos em torná-la. A simples decisão de não se agarrar aos problemas pode melhorar – e muito – nossas vidas. É isso o que Hugh Prather nos mostra, com humor e clareza, nesse livro.

Ele escreve sobre as dificuldades do dia-a-dia e nos dá ferramentas para contorná-las, mudando o que há de mais importante na vida: nossa atitude mental e a forma de reagir aos inevitáveis contratempos.

COMO SER FELIZ APESAR DE TUDO

Será que é possível ser feliz apesar de tudo? Na verdade, esse é o único jeito, como nos mostra Hugh Prather, com clareza e bom humor. O mundo não é perfeito – e nunca será. Não existe a menor chance de acabarmos com todas as coisas que nos incomodam. Então, de que adianta reclamar de tudo?

Prather nos faz rever a maneira como encaramos a vida e nos dá ferramentas para romper com os padrões que nos impedem de aproveitar o aqui e agora.

APRENDA A ESCUTAR SEU CORAÇÃO

Com 400 mil livros vendidos no Brasil, Hugh Prather mais uma vez nos ajuda a escutar nosso coração para encontrar a felicidade e a paz interior. Suas reflexões nos levam a repensar a maneira como vemos os outros, nossas relações e, sobretudo, nossos próprios sentimentos e atitudes.

CONHEÇA OUTROS TÍTULOS DA EDITORA SEXTANTE

OS 10 MANDAMENTOS DO BOM SENSO
Hal Urban

Grande conhecedor da Bíblia e dos mistérios que ela encerra, Hal Urban retirou das Escrituras alguns conselhos que ajudam a alinhar nossa vida com as atitudes que nos trazem alegria, conforto espiritual e paz interior.

Todos nós sabemos quais são os fundamentos de uma vida plena de significado, mas muitas vezes os deixamos de lado para nos encaixar nos valores apregoados pela sociedade.

Num texto inspirador e envolvente, o autor mostra como podemos resgatar os verdadeiros valores conhecendo a fundo a sabedoria contida na Bíblia.

SALOMÃO, O HOMEM MAIS RICO QUE JÁ EXISTIU
Steven K. Scott

Embora a Bíblia seja citada a todo instante, a sabedoria contida nela é pouco conhecida pela maioria das pessoas. Consciente da riqueza de conselhos que ela encerra, Steven K. Scott apresenta nesse livro valiosos princípios de vida retirados da história de Salomão.

Nascido por volta de 974 a.C., Salomão foi coroado rei de Israel com apenas 12 anos de idade. Segundo o Antigo Testamento, Deus apareceu para ele e ofereceu lhe dar o que quisesse, mas o jovem pediu apenas sabedoria para governar seu povo. Fascinado com tamanha humildade, Deus o transformou no homem mais rico, sábio e vitorioso de todos os tempos.

O Poder do Agora
Eckhart Tolle

Passamos a maior parte de nossas vidas pensando no passado e fazendo planos para o futuro. Ignoramos ou negamos o presente e adiamos nossas conquistas para algum dia distante, quando conseguiremos tudo o que desejamos e seremos, finalmente, felizes.

Mas, se queremos realmente mudar nossas vidas, precisamos começar neste momento. Essa é mensagem simples mas transformadora de Eckhart Tolle: viver no Agora é o melhor caminho para a felicidade e a iluminação.

Um novo mundo – o despertar de uma nova consciência
Eckhart Tolle

Mais do que em qualquer outra época de sua história, a humanidade tem hoje a chance de criar um mundo novo – mais evoluído espiritualmente, mais pleno de amor e sanidade. Para Eckhart Tolle, estamos vivendo um momento único e maravilhoso: o do despertar de uma nova consciência.

Ele nos mostra que o salto para essa nova realidade depende de uma mudança interna radical em cada um de nós. Precisamos nos livrar do controle do ego, pois essa é a fonte de todo o sofrimento humano. Sob seu domínio, somos incapazes de ver a dor que infligimos a nós mesmos e aos outros.

De forma inspiradora e surpreendente, o autor nos ajuda a descobrir o nosso verdadeiro eu, a essência humana genuína que nos permitirá construir o novo mundo e viver em harmonia com tudo o que existe.

INFORMAÇÕES SOBRE OS PRÓXIMOS LANÇAMENTOS

Para receber informações sobre os lançamentos da EDITORA SEXTANTE, basta cadastrar-se diretamente no site www.sextante.com.br

Para saber mais sobre nossos títulos e autores, e enviar seus comentários sobre este livro, visite o nosso site www.sextante.com.br ou mande um e-mail para atendimento@esextante.com.br

EDITORA SEXTANTE
Rua Voluntários da Pátria, 45 / 1.404 – Botafogo
Rio de Janeiro – RJ – 22270-000 – Brasil
Telefone (21) 2286-9944 – Fax (21) 2286-9244
E-mail: atendimento@esextante.com.br